,50

# Mister Moto
# est désolé

ISNN : 0764-7786
ISBN : 2-86930-053-0

© Rivages, 1987
5-7, rue Paul-Louis Courier - 75007 Paris
10, rue Fortia - 13001 Marseille

John P. Marquand

# Mister Moto est désolé

Traduit de l'anglais
par Michel Le Houbie

*Collection dirigée par*
*François Guérif*

rivages/noir

# Mr. MOTO EST DÉSOLÉ

**1**

L'officier de police, vêtu à l'européenne d'un veston gris, au demeurant assez minable, consulta son carnet et, par-dessus ses papiers, dévisagea Calvin Gates. Son attitude était polie, mais ses yeux noirs ne révélaient rien de ce qu'il pouvait penser. Le jeune homme était au Japon depuis moins de huit jours, mais ce laps avait suffi pour qu'il apprît bien des choses sur les Nippons. Ces gens-là passaient leur temps à vous surveiller. Le Japon ? Des milliers de visages impénétrables qui posent sur vous des yeux durs et brillants.

Calvin Gates, assis à une petite table dans la salle à manger du bateau qui devait le transporter à Fusan, en Corée, avait conscience que, là encore, bien des yeux le guettaient. Il y avait ceux des serveurs. Puis, ceux des deux vigoureux porteurs qui, dans leurs vêtements de coton qui ressemblaient à des kimonos, attendaient de l'autre côté de la porte. Ceux, enfin, des deux officiers en kaki — grosses lunettes et grands sabres — qui étaient installés à une table voisine.

— Vous m'excuserez, dit le policier, vous êtes bien Américain ?

Calvin Gates en convint. Son passeport était sur la table. Ces questions lui avaient été si souvent posées qu'elles ne l'embarrassaient plus.

— Vous avez trente-deux ans ? reprit l'homme. Votre père, que fait-il ?

— Il est mort, répondit Calvin Gates.

— Pardonnez-moi !... Vous êtes étudiant ?... Puis-je vous demander en quoi ?

— J'étudie l'anthropologie.

C'était inexact, mais la chose avait peu d'importance.

— L'anthropologie ? répéta le policier. Qu'est-ce que c'est que ça ?

— La science de l'homme.

Le Japonais hocha la tête.

— Vous n'écrivez pas de livres et vous n'avez pas l'intention d'écrire sur le Japon ? Vous ne faites que traverser le pays ?

L'Américain posa ses deux mains sur la table. Elles étaient maigres et piquées de taches de rousseur, mais aussi nerveuses et solides. Le policier attendait. Calvin Gates soupira. Il avait soudain le sentiment qu'il était très las, parfaitement déplacé sur ce bateau et qu'il eût été bien mieux chez lui.

— Ce pays, dit-il, il faut que je le traverse le plus vite possible !

— Parfait !... Vous êtes au Japon depuis combien de temps° ?

— Moins de huit jours. Je n'y suis resté que le temps nécessaire pour prendre des dispositions afin de me rendre en Mongolie.

L'homme était-il stupide ou simplement zélé ? Gates se le demanda quand il le vit noter ses réponses sur son carnet.

— Vous passerez par Moukden, reprit le policier. Vous ne vous y arrêterez pas ?

— Pas plus qu'il ne faudra pour prendre mon train.

— C'est juste !... Excusez-moi !

— De Moukden, reprit l'Américain avec une

louable bonne volonté je gagnerai Shan-Hai-Kuan, de là Peiping et, de là, Kalgan.

— Parfait ! déclara le policier. Qu'allez-vous faire en Mongolie ?

— Je l'ai expliqué bien des fois ! répondit Gates d'un ton excédé. Je rejoins une expédition scientifique.

— Une expédition scientifique ? Où se trouve-t-elle donc ?

Gates s'imposait d'être patient.

— Dans l'intérieur du pays, dit-il. Je vais retrouver la mission Gilbreth. Elle est partie d'ici il y a une quinzaine de jours. A Kalgan, on me dira où je pourrai la rejoindre. Vous avez dû voir les autres membres de la mission quand ils sont passés par ici.

— Certainement. Pourquoi n'êtes-vous pas parti avec eux ?

— Parce que je n'ai pas pu me libérer plus tôt.

— Je vous remercie.

Le policier ajouta un paragraphe à ses notes et reprit :

— Vous allez en Mongolie pour y chercher quelque chose. Que comptez-vous y trouver exactement ?

— L'homme primitif.

— L'homme primitif ? Vous pensez le capturer ?

Une lueur malicieuse flamba dans les prunelles grises de l'Américain.

— Cet homme que nous allons... capturer est mort.

— Vraiment ? C'est un homme mort que vous allez capturer ?

— Oui, dit-il. Il est mort depuis un million d'années, au moins.

Le policier en prit note. Après quoi, il restitua ses papiers à Calvin Gates.

— Je m'excuse de ne pouvoir bavarder plus longuement, déclara-t-il, mais il me reste deux autres passagers à voir.

L'homme se leva, salua et s'éloigna. Calvin Gates se demandait — et ce n'était pas la première fois — à quoi rimait cet interrogatoire. Tout ce qu'il avait dit serait ajouté à son dossier et un fonctionnaire irait, au fond de quelque bureau, vérifier ses déclarations. Son désir de rejoindre la mission Gilbreth, il l'avait expliqué à diverses reprises, avec force détails, mais les Japonais semblaient ne pas détester la répétition. Il se leva, ramassa son trench-coat, qu'il avait posé sur une chaise, et se dirigea vers la sortie. Il s'en allait vers la porte quand, dans son dos, une voix dit :

— Pardonnez-moi !

Il se retourna. Celui qui avait parlé était un petit homme jaune, qui avait quitté sa table pour venir à lui et qui s'inclinait devant lui en souriant. Il portait un complet de serge bleue bien coupé, avec du linge empesé. Sa chevelure, d'un noir de jais, était coiffée en brosse, à la prussienne.

Calvin Gates prit la carte de visite que le petit homme lui tendait. Le nom qui s'y trouvait gravé, *I. A. MOTO*, ne lui disait rien, mais l'Américain ne se montra pas surpris pour autant.

— Vous êtes également de la police ? demanda-t-il.

Le sourire du petit Japonais s'élargit.

— Non, mais je suis un ami de l'Amérique. J'ai vécu aux Etats-Unis. Puis-je vous prier d'accepter un verre de whisky ? Cela me ferait tellement plaisir !

L'invitation ne pouvait étonner Calvin Gates, qui en différentes occasions avait rencontré des Japonais qui s'étaient montrés charmants avec lui pour des raisons qui lui échappaient totalement.

— Je vous remercie, dit-il, mais il se fait tard...

M. Moto ne le laissa pas achever.

— Je vous en prie ! Il n'est jamais trop tard aux Etats-Unis pour prendre un whisky !

Riant de sa plaisanterie, il ajouta :

— J'ai pour les Etats-Unis tant d'admiration ! Je crains que vous ne soyez fatigué de nos policiers...

Calvin Gates se laissa fléchir et s'assit à la table du petit Japonais, qui poursuivit :

— J'en suis désolé ! Nos policiers ont une besogne dure et ingrate... Je m'excuse d'avoir surpris votre conversation. J'ai été étudiant dans une université américaine et je n'ai pu faire autrement que d'entendre. Vous rejoignez une expédition scientifique qui se dirige vers la Mongolie ? Voilà qui sera, je pense, très intéressant, vraiment très intéressant. La Mongolie est un pays adorable..

— Vous êtes déjà allé là-bas ?

M. Moto hocha la tête et sourit.

— Oui... Dans la région même où vous vous rendez.

Frottant l'une contre l'autre ses petites mains brunes, il ajouta :

— A Ghuru Nor.

Calvin Gates réprima un haut-le-corps et, pour la première fois depuis bien des jours, se sentit mal à l'aise. Le petit homme le regardait bien en face et continuait de sourire.

— Comment savez-vous où je me rends ? demanda Gates. Je ne l'ai pas dit au policier.

— Sans doute ! répondit M. Moto. Vous voudrez bien m'excuser... Je l'ai appris par un journal de Tokio. Ces choses m'intéressent énormément. Je dois vous dire que, dans votre pays, j'ai étudié l'anthropologie. Vous, monsieur Gates, vous êtes un Nordique, avec des traces d'Alpin. Les Nordiques sont des gens délicieux.

Calvin Gates avala sa salive. Il avait de nouveau le sentiment d'être un homme traqué, un suspect. Il dut se dire mentalement qu'il n'avait aucune raison de se considérer comme un être qui doit se cacher.

— Oui, reprit M. Moto, ces choses m'intéressent infiniment. Géologiquement, le plateau Centre-Asiatique pourrait fort bien avoir été le berceau de l'espèce humaine. La chaîne de l'Himalaya, en somme, est récente. Avant que ces montagnes ne se soulèvent, la flore et la faune de l'archipel malais se retrouvaient dans l'Asie centrale. C'est bien votre opinion ? Le rhinocéros laineux et les grands anthropoïdes habitaient ces régions. Puis, les bouleversements cycliques sont arrivés. Je ne me trompe pas, n'est-ce pas ? Pour vivre, les pauvres singes ont dû descendre de leurs arbres. Il est intéressant de constater qu'ils sont devenus des hommes. Il est pour moi hors de doute que c'est par là qu'on doit découvrir les ancêtres de l'homme de Peiping. Nous avons entendu parler d'ossements qui se trouvent dans les nécropoles voisines de Ghuru Nor. Je suis heureux, vraiment très heureux, que vous vous rendiez là-bas.

— Je vois, dit Calvin Gates, que vous êtes très au courant de la question. Vous appartenez à une université ?

— Du tout !

M. Moto eut un aimable sourire, qui laissait entrevoir une double rangée de dents mal plantées et aurifiées.

— Il y a une chose, ajouta-t-il, qui me semble extrêmement drôle...

— Et quoi donc ? demanda Gates.

M. Moto semblait s'amuser beaucoup. D'une voix très douce, il dit :

— Il est assez curieux que cet homme primitif, qui vivait il y a tant et tant d'années, ait choisi pour mourir un endroit si intéressant, assez drôle que le tertre sous lequel reposent ses ossements se situe dans la région de Ghuru Nor, qui se trouve être un des points stratégiques les plus importants du territoire qui sépare la Russie de la Chine du Nord.

Convenez que cet homme primitif ne manquait pas d'humour !

M. Moto rit de nouveau. Il était si manifeste qu'il s'efforçait d'être aimable que Calvin revint de quelques-unes de ses préventions contre lui.

— Vous êtes officier ? demanda-t-il.

M. Moto redevint sérieux.

— Non, je ne suis pas dans l'armée.

Après un court silence, il ajouta :

— Je suis toujours très heureux de rencontrer des Américains et je me réjouis de savoir que vous allez en Mongolie. Peut-être pourrons-nous avoir demain une longue conversation... Il me serait tellement agréable de vous être de quelque utilité ! Peut-être vous ennuierez-vous, demain, durant l'interminable trajet que le train doit couvrir pour traverser la Corée... Il est vrai qu'une de vos compatriotes fait le voyage également. Elle est à bord. Vous la connaissez ?

— Une de mes compatriotes, dites-vous ?

— Oui, une jeune Américaine. Elle est accompagnée par un Russe qui doit être une sorte de guide. Tenez, c'est à eux que le policier parle en ce moment !

Calvin Gates regarda dans la direction indiquée par son interlocuteur. Il aperçut, assise en face du Japonais qui l'avait interrogé précédemment, une mince jeune fille en costume de tweed qu'au premier coup d'œil, sans qu'il sût pourquoi, il reconnut pour une Américaine. Son accent le confirma dans cette impression. Elle était brune et il était certain qu'elle eût été jolie si elle avait eu quelque souci d'élégance. En fait, elle semblait complètement indifférente à la façon dont elle était habillée.

— Oui, disait-elle, Winnetka, Illinois, née en 1910. C'est sur mon passeport, non ? Comme couleur, en général, on me considère comme blanche. Quant à mon père, il est industriel.

— C'est-à-dire qu'il fabrique des choses ?

— Dame ! Qu'est-ce que vous pensiez qu'il était ? Danseur de corde ?

La conversation se poursuivit sur un ton moins élevé. M. Moto poussa un soupir discret.

— On a toujours tort de se mettre en colère ! déclara-t-il à mi-voix. La tâche du pauvre policier est malaisée. Cette jeune femme, vous ne la connaissez pas ?

Calvin Gates répondit d'un signe de tête.

— Non. La population des Etats-Unis est considérable. Je ne connais pas tout le monde.

— C'est sans doute une touriste... En ce qui vous concerne, vous voyagez seul ?

— Autant que je sache !

M. Moto se levait.

— Parfait ! dit-il. Nous aurons demain une charmante conversation.

Calvin Gates se leva, lui aussi, pour rendre son salut au Japonais. Depuis qu'il était en Extrême-Orient, il avait l'impression d'être tout le temps en train de s'incliner devant les gens et de leur adresser des sourires. Il en avait les zygomatiques fatigués.

Il regagna sa cabine. Un boy, au nez camus et à la face aplatie, y pénétra avant lui pour donner la lumière.

Le gamin sorti, Calvin jeta son chapeau et son trench-coat sur la couchette, s'assit sur un escabeau et, tirant de sa poche un carnet et un crayon, rédigea quelques notes :

« *Deuxième classe pour Shimonoseki. Des mères qui dorlotent leurs poupons. Des vieux qui retirent leurs vêtements pour se gratter. Des rizières. Ça jacasse, ça jacasse ! Vin de riz. Des soldats. Le tap-tap-tap des souliers de bois. La police. Votre grand-père, que faisait-il ? Un petit bateau. M. Moto, qui*

*connatt l'anthropologie. Demain, Fusan. Mais dé-*
*fense de prendre des photos. »*

Ces mots, qui pour d'autres ne voudraient pas
dire grand'chose, conserveraient pour lui un sens
aussi longtemps qu'il vivrait. Ils lui rappelleraient
des centaines de bruits et de visages, et aussi ce
sentiment qu'il avait eu d'être un étranger, voya-
geant dans un train qui traversait un pays qui ressemblait étonnamment à ce qu'il en connaissait par
des photographies : des collines bleues, des bambous,
des fermes minuscules, des barrages de ciment armé,
des fils de haute tension, des usines, une population
vêtue pour moitié de kimonos et, pour l'autre moitié,
de costumes « à l'européenne », un pays plein de
sourires et de grimaces.

Il se leva, retira son veston et jeta un coup d'œil
vers ses bagages. Tout de suite, il s'aperçut que sa
serviette, qu'il avait déposée près de sa malle de
cabine, avait disparu. Il courut à la porte et appela
le boy, qui parut presque immédiatement.

— Où est ma serviette ?

Le petit visage jaune se tournait vers lui, totalement incompréhensif.

— Sac ! reprit Calvin. Petit sac, grand comme
ça !

Le boy le dévisageait d'un air stupide. Après avoir
vainement essayé de lui expliquer ce qu'il voulait,
en criant très fort, ainsi qu'il est de règle quand on
s'adresse à quelqu'un dont on désespère de se faire
entendre parce qu'il ne parle pas votre langue,
Calvin Gates hurla :

— Va me chercher quelqu'un qui sache l'anglais !
Tous mes papiers, toutes mes notes, sont dans cette
serviette !

Au même moment, une porte s'ouvrait dans le
couloir, livrant passage à M. Moto, qui, souriant,
brandissait la serviette marron de l'Américain.

— Je suis désolé, absolument désolé ! disait
M. Moto. Est-ce que ceci ne serait pas l'objet que
vous cherchez ? Le garçon de cabine est rigoureusement idiot.

Calvin Gates reprit possession de son bien. M. Moto
coupa court à ses remerciements et, après lui avoir
souhaité bonne nuit, disparut dans sa cabine.

Calvin s'enferma dans la sienne et s'assit, sa précieuse serviette sur les genoux. L'incident l'intriguait. Il était sûr d'avoir vu sa serviette dans sa
cabine, sûr qu'elle n'avait pas été par erreur déposée dans celle de M. Moto. Le Japonais, c'était
probable, avait fouillé dans ses papiers, lesquels
n'avaient d'ailleurs pas grande importance, puisqu'il
n'y avait guère là que des lettres personnelles,
dépourvues d'intérêt pour un étranger. Calvin relut
la dernière de celles qui lui étaient parvenues, au
sujet du docteur Gilbreth. Elle lui avait été écrite
par le représentant commercial de Gilbreth à New-
York.

*Mon cher Cal,*

*Vous m'auriez renversé d'une chiquenaude quand
j'ai pris connaissance de votre lettre me demandant
comment retrouver Gilbreth, dont j'imagine qu'il
vous a parlé de la chasse en Mongolie. Le bureau
d'ici restera évidemment en contact avec lui, puisque
c'est nous qui sommes chargés des comptes, mais,
même par câble, il faut compter des semaines pour
se mettre en rapports avec lui. Le meilleur moyen de
savoir où il est serait d'aller trouver à Kalgan
l'homme qui s'occupe de l'acheminement de son
ravitaillement. C'est un certain Holz, mâtiné d'Allemand et de Russe, qui fait des affaires en Mongolie.
Voyez-le à Kalgan. Il est probable qu'il pourra vous
faire une place dans un des convois qu'il dirige sur
Gilbreth.*

*Il y a, d'autre part, une artiste qui est en route pour le rejoindre, une jolie fille qui n'est pas toujours commode. Il se peut que vous la rencontriez en chemin, car elle n'est partie que la semaine dernière. Gilbreth a été très heureux du chèque que votre oncle lui a fait parvenir. Pour lui, cela changeait tout, puisque cela lui permettait de partir. Il semble que le vieux monsieur ne tenait pas à ce qu'on lui accusât réception de son envoi. Bella l'a nettement précisé quand elle a apporté le chèque. Quand vous le verrez, n'oubliez pas de le remercier pour nous...*

Il n'y avait dans tout cela rien d'important, mais il n'en restait pas moins que M. Moto cherchait quelque chose. A la réflexion, il semblait bien qu'il y avait plus d'habileté et d'adresse dans les questions de M. Moto que dans celles de la police. M. Moto s'était montré très poli, très aimable, mais il avait fait de son mieux, Calvin n'en doutait plus, pour se renseigner sur le passé de son interlocuteur et il paraissait bien qu'il s'était aperçu, lui, de certaines choses assez bizarres qui avaient échappé à tout le monde.

Calvin déplia sa carte de la Chine et du Japon et, ainsi qu'il l'avait fait plus de vingt fois déjà, se mit à la considérer, comme s'il se demandait s'il était vraiment en train de faire ce qu'il avait décidé d'entreprendre. Il voyait l'endroit exact où il se trouvait, le mince détroit qui sépare le Japon du continent asiatique, et aussi le tracé de la ligne de chemin de fer qui, partant du port de Fusan, traversait la presqu'île de Corée pour s'en aller ensuite par la Mandchourie vers Moukden. Cette ville, il l'atteindrait en vingt-quatre heures si tout allait bien, et la moitié du voyage lui resterait encore à accomplir. Il lui faudrait passer la nuit à Moukden et prendre un autre train qui l'emporterait vers l'Ouest, vers Shan-

Hai-Kuan, au pied de la Grande Muraille. Là, il changerait de train de nouveau pour être, le lendemain matin, à Peiping, d'où un autre train encore l'emmènerait vers le Nord. Vingt-quatre heures plus tard, il serait à Kalgan. Comment il irait plus loin, il n'en avait pas la moindre idée. Il savait seulement qu'il continuerait à monter vers le Nord, dans une région dépourvue de chemin de fer, et qu'il ne s'arrêterait que lorsqu'il aurait découvert le docteur Gilbreth pour lui dire ce qu'il avait à lui dire.

**2**

Calvin Gates était allongé dans sa couchette, les yeux grand ouverts dans l'obscurité. Les machines, sur un rythme constant, envoyaient à travers le petit bateau des pulsations qui faisaient songer à celles d'un cœur humain.

Calvin savait que le sommeil le fuirait : il en allait toujours ainsi quand il se mettait à penser aux possibilités évanouies, à ce qu'il aurait pu dire ou faire. Il décida de se lever, donna la lumière et consulta sa montre-bracelet. Il était une heure du matin. Il s'habilla, mit son chapeau et son pardessus, sortit et ferma sa porte à clé. L'étroit couloir qui courait entre les cabines était éclairé et désert. Le steward à la face camuse dormait, assis sur un pliant. Passant devant lui sans l'éveiller, Calvin monta sur le pont.

Le petit bateau se déplaçait sur une mer douce et calme. Ses lumières, les seules visibles où que se tournât le regard, mettaient de mouvantes taches jaunes sur les ondulations légères des vagues. Calvin était seul sur le pont. Il songea avec satisfaction qu'il *s'éloignait*...

Il s'éloignait. Il était en train de se dire que Central Park devait être accablé par l'étouffante lourdeur d'une chaude journée d'été quand il eut le sentiment que quelqu'un, derrière lui, avait bougé. Il était accoudé au bastingage et n'avait rien entendu, mais, avant même de se retourner, il avait l'absolue certitude qu'il n'était plus seul.

— Bonsoir ! dit une voix. La nuit est délicieuse.

— Bonsoir !

Calvin avait identifié l'ombre qui s'approchait de lui d'un pas si léger qu'il semblait ne faire aucun bruit : c'était M. Moto, le frêle gentleman japonais dont il avait fait la connaissance quelques heures plus tôt.

— J'ai toujours beaucoup de peine à dormir lorsque je suis en chemin de fer ou en bateau, déclara M. Moto. Je suis toujours, en voyage, terriblement éveillé !

Il riait d'un rire forcé.

— Je suis un peu dans le même cas, répondit Calvin. Je pensais dans le noir sans pouvoir trouver le sommeil. Alors...

— Vous pensiez ?

— Oui.

— A New-York ?

Le visage de M. Moto était une tache blafarde dans l'obscurité.

— Comment savez-vous que je viens de New-York ? demanda Calvin.

— Excusez-moi ! répondit M. Moto. Vous avez l'accent de New-York. La jeune Américaine qui est à bord est originaire du Middle-West. Je me flatte de ne pas me tromper en ces matières. New-York est adorable. Vous aimez Tokio ? Nous faisons tant d'efforts pour que la ville ressemble à New-York !

— Je me demande bien pourquoi !

— Peut-être parce que nous avons tous beaucoup d'admiration pour votre pays, pour une nation qui, toute petite au début, est devenue très grande.

— Mais la vôtre se développe, elle aussi !

— C'est exact. Il faut que nous vivions. Nous sommes un si petit peuple !

— Vous avez déjà fait bien des choses !

M. Moto s'inclina.

— Il est très gentil à vous de le dire. J'espère tellement que vous aimez le Japon ! Nous faisons tant de choses très intéressantes... Des petites choses, par exemple, qui sont très faciles à transporter... Nos artisans sont très adroits, vraiment très adroits. Peut-être leur avez-vous acheté de petits articles ?

La question était de celles qui viennent tout naturellement dans une conversation à bâtons rompus, qui ressemblait à plusieurs autres que Calvin avait eues avec des Japonais, qui lui avaient parlé des exploits du Japon, de l'antiquité de la culture japonaise et de la mission du Japon en Extrême-Orient, mais Calvin eut l'impression que M. Moto attendait sa réponse avec une sorte d'anxiété.

— Mon Dieu ! oui, dit-il, j'emporte quelques menus souvenirs. Peu de choses, d'ailleurs.

— J'en suis heureux. Peut-être avez-vous vu quelques-uns de ces travaux remarquables exécutés par des ouvriers fort habiles qui incrustent de l'acier dans des objets en argent ? C'est très joli. Vous n'avez pas acheté un étui à cigarettes de ce genre ?

— Non.

— Peut-être ne fumez-vous pas ? reprit M. Moto. Ces étuis sont extrêmement curieux. Il y a notamment un modèle, représentant un vol de petits oiseaux au-dessus d'une prairie, que je trouve ravissant. Peut-être le connaissez-vous ?

Il ne faisait plus de doute que cette conversation menait quelque part. Calvin comprit que M. Moto attendait moins une réponse qu'une intonation nouvelle dans ce qu'il lui dirait. Il fut sûr de ne pas se tromper quand le petit Japonais, parlant de nouveau, lui demanda :

— Vous n'avez pas vu ces étuis à cigarettes ?

— Non.

— Pardonnez-moi, je vous en prie ! Il est tellement intéressant que vous alliez en Mongolie !

Ghuru Nor est un endroit charmant. Vous avez entendu parler du prince qui vit là-bas ?

— Non. Il y a un prince ?

— Certes ! s'écria M. Moto. Le pays est très arriéré. A part les prêtres, tous les habitants portent des nattes. Le prince s'appelle Wu Fang. Le nom est chinois, bien entendu.

— Est-ce qu'il a une natte, lui aussi ?

— Sans doute ! Il vit dans un petit palais et possède beaucoup de chameaux. Il a aussi une armée. Les Mongols sont des gens très gais, vraiment très gais.

— Je suis heureux de l'apprendre.

— Vous vous plairez beaucoup là-bas... Si vous n'avez pas d'ennuis, évidemment...

— Pas d'ennuis ?

M. Moto riait doucement.

— J'espère tant que vous n'aurez pas d'ennuis !

— Que voulez-vous, dit Calvin, le monde est plein de complications !... En attendant, je vais redescendre à ma cabine et essayer de dormir.

— Je crois que je vais en faire autant. Je suis ravi d'avoir bavardé avec vous. Passez le premier, monsieur Gates, je vous en prie !

Tout en descendant l'escalier, M. Moto derrière lui, Calvin éprouvait cette espèce de stupéfaction qui l'avait déjà assailli plusieurs fois depuis qu'il s'était trouvé en contact avec des Orientaux. Cette conversation, il en était persuadé, elle avait eu un objet, encore qu'il n'y parût pas. Il y avait quelque chose d'inquiétant dans l'attitude même de M. Moto.

Calvin tira sa clé de sa poche et l'introduisit dans la serrure de sa cabine. La clé ne tourna pas.

— Excusez-moi ! dit M. Moto. Il y a quelque chose qui ne va pas ?

— La serrure a l'air de ne pas fonctionner.

— Vraiment ? Voilà qui est drôle, très drôle !

Calvin était d'un avis tout différent.

— Enfin, s'écria-t-il, se retournant brusquement vers M. Moto, qu'est-ce que tout ça signifie ?

— Je l'ignore, répondit M. Moto. Nous allons demander au boy !

Celui-ci dormait toujours, sur son pliant, devant les portes closes de la salle à manger. M. Moto l'appela d'une voix aiguë. Il ouvrit les yeux et accourut.

— Cette serrure, dit M. Moto, le boy va la faire fonctionner ! Donnez-lui votre clé, je vous prie !

A la première sollicitation, la clé tourna dans la serrure.

— Que vous disais-je ? demanda M. Moto. Tout est bien, j'espère ?

— Je vous remercie. Tout est bien !

— J'en suis très heureux. Bonsoir, monsieur Gates !

Calvin pénétra dans sa cabine, poussa le verrou et contempla d'un œil morne sa grande malle et ses valises. Il en était sûr, quand il avait essayé d'ouvrir sa porte, il y avait quelqu'un chez lui. Maintenant, ce quelqu'un avait disparu.

Et M. Moto cherchait un étui à cigarettes sur lequel étaient représentés de petits oiseaux en vol au-dessus d'une prairie !

Bien que tout cela fût assez singulier, Calvin s'endormit sans difficulté. Il rêva de nattes et de pays qu'il n'avait jamais vus.

Et aussi de M. Moto, dont il entendait la voix qui lui répétait :

— C'est tellement ravissant, monsieur Gates, tellement ravissant !

**3**

A l'arrière du train qui quitta Fusan le lendemain matin, il y avait un grand wagon-salon, dans
lequel bavardaient, assis et fumant la cigarette, des
Japonais, dont les uns étaient des hommes d'affaires
et les autres des officiers. La voie ferrée suivait la
plupart du temps des collines brunes et des montagnes dont les sommets se perdaient dans une
brume bleuâtre. On entrevoyait, çà et là, la tache
verte d'une ferme, mais le paysage en son ensemble
était triste et nu. Les maisons coréennes, de petites
huttes rondes, construites en boue séchée et cou-
vertes de chaume, semblaient dater des temps préhis-
toriques et l'on avait l'impression que l'aspect de la
contrée ne s'était pas modifié depuis des millé-
naires.

Calvin Gates éprouvait une curieuse sensation de
solitude, dont il ne s'avisa pleinement que lorsqu'il
vit entrer dans le wagon-salon la jeune fille qu'il
avait aperçue la veille sur le bateau. Elle prit le
premier fauteuil qui se trouva libre, alluma une
cigarette et ouvrit un livre. Son regard ayant croisé
celui de Calvin, il lui sourit avec une inclination
du buste. Elle répondit d'un bref hochement de
tête, qui laissait entendre qu'elle ne souhaitait pas
sa compagnie. Il comprit pourquoi un peu plus tard,
lorsqu'un jeune homme vint la rejoindre, qui s'installa dans le fauteuil voisin de celui qu'elle occupait.

Le personnage était assez mal habillé et son attitude, son sourire, son aisance même, tout indiquait qu'il n'était pas là pour son plaisir. C'était évidemment un guide, habitué à courir le monde avec une clientèle cosmopolite. Qu'il eût vu le jour en Europe, et sans doute dans un Etat balkanique, c'était probable. En tout cas, il n'était pas Américain. La coupe de ses vêtements l'affirmait, comme aussi son long nez, la vivacité de ses gestes et même le timbre de sa voix, une voix dépourvue d'accent qui était manifestement celle d'un polyglotte capable de s'exprimer correctement en des langues nombreuses.

— Miss Dillaway, dit-il, s'adressant à la jeune femme, tout va bien en ce qui concerne les bagages qui sont dans le fourgon. On les examinera de nouveau à Antoung.

Elle tourna vers lui un regard ennuyé.

— Mais enfin, Boris, est-ce que nous ne serons pas toujours en territoire japonais ?

Le prénom renseignait Calvin. L'homme était un Russe. Il expliqua :

— Il ne s'agit, miss Dillaway, que d'une simple formalité. Antoung est à la frontière du Mandchoukuo, qui est un Etat indépendant.

— C'est stupide ! Antoung est bien en territoire japonais, n'est-ce pas ?

Comme miss Dillaway parlait, M. Moto entra dans le wagon-salon. Avec son veston de sport en tissu blanc et noir, sa culotte de golf verte et ses bas rouges, il avait une allure assez comique, mais l'envie de rire qui lui était venue avait quitté Calvin Gates dès qu'il avait remarqué la réaction inattendue du compagnon de miss Dillaway. Il regardait M. Moto avec des yeux qui paraissaient lui sortir de la tête et ses deux mains se crispaient sur les bras de son fauteuil.

— Eh bien, Boris ! s'écria miss Dillaway. Il y a quelque chose qui ne va pas ?

Il protesta faiblement.

— Non, non ! Ce n'est rien.

— Alors, n'ayez pas l'air d'avoir aperçu un fantôme ! Vous m'effrayez et les Japonais me font déjà bien assez peur comme ça !

— Faites attention ! lui souffla Boris d'un ton alarmé. Ils comprennent ce que vous dites.

— Qu'est-ce que vous voulez que ça me fasse ? répliqua-t-elle. Je ne fais rien de mal !

Si M. Moto avait entendu, il n'en laissa rien voir. Passant devant le couple sans lui accorder un regard, il s'avançait vers Calvin.

— Bonjour, monsieur Gates ! Je suis ravi de vous voir.

— Moi de même, monsieur Moto ! répondit l'Américain, sans grande conviction. Vous allez jouer au golf ?

M. Moto rit doucement.

— Non. Ces vêtements, je les mets de temps en temps en voyage, pour leur faire prendre l'air. Vous comprenez ?

— Fort bien.

M. Moto baissa la voix et reprit :

— A Antoung, on examinera vos bagages et on vérifiera vos papiers. Je serais très heureux de vous rendre service à cette occasion, si cela peut vous être agréable.

— Je vous remercie.

Tournant la tête de côté, Calvin ajouta :

— Tiens ! Qu'est-ce que c'est que cela ?

Le train s'était arrêté sur une dérivation pour laisser la voie à un autre convoi composé d'abord de wagons de voyageurs, aux portières desquels se penchaient des hommes en kaki, puis de wagons plats, chargés de canons et de munitions.

— Un train de troupes ! dit M. Moto.

— On se croirait à la guerre ! fit remarquer Calvin.

M. Moto rectifia vivement :

— Non, il ne s'agit pas de guerre. Ce sont des soldats, simplement, de nombreux soldats. J'ai bien peur que nous ne soyons encore retardés par d'autres convois analogues avant d'arriver à Moukden.

Calvin regardait défiler les wagons d'un œil intéressé.

— On dirait que ces canons sont des 77 allemands.

— Pas tout à fait ! déclara M. Moto. L'artillerie vous est familière ?

— Assez...

Calvin se rendait compte que M. Moto lui accordait depuis un instant une attention toute particulière.

— Vous êtes officier ? reprit le Japonais.

— Non, mais j'ai lu beaucoup d'ouvrages militaires. A un moment, je songeais à faire carrière dans l'armée.

— Vous avez bien de la chance d'y avoir renoncé ! s'écria M. Moto.

Il ajouta :

— La culasse de nos canons de campagne diffère de celle du 77 allemand. Je suis désolé que ces trains de troupes doivent nous mettre en retard.

Des soldats, les passagers du train devaient en voir beaucoup en Corée, mais bien plus encore le lendemain durant la traversée de la Mandchourie. Là, casques d'acier, uniformes kaki et matériel de guerre faisaient partie du paysage, qui lui-même avait changé. Ces plaines immenses rappelaient à Calvin certains aspects des Etats-Unis et le pays, par moments, l'étonnait moins parce qu'il commençait à ressembler à la façon dont il l'avait vu si souvent représenté sur des services en porcelaine :

de petites maisons, dont les toits se relevaient en courbes gracieuses, des saules toujours pareils, des ponts enjambant de minces cours d'eau, des paysans courbés sur la glèbe ou allant par les champs, une longue perche sur l'épaule. On devinait derrière tout cela une vie intense, une population vigoureuse et fidèle à ses traditions, à tout un passé évoqué par ces monticules de terre qu'on apercevait en bordure des champs et qui n'étaient autres que les tombes des ancêtres.

Ce fut durant la traversée de cette région que Calvin Gates eut sa première conversation avec miss Dillaway. Il était huit heures du matin. Elle s'assit dans le fauteuil voisin du sien et, tirant de son sac à main un indicateur des chemins de fer, dit en souriant :

— Drôle de pays, n'est-ce pas ? On dirait une gravure.

— Je suis désolé que vous ayez fait cette comparaison. Elle m'était venue, à moi aussi, et je me flattais d'avoir trouvé là une idée originale.

Miss Dillaway fronça les ailes de son nez.

— Il est difficile de découvrir quelque chose d'original à propos d'un pays qui n'a pas changé depuis deux mille ans ! Vous n'êtes jamais venu par ici ?

— Non, jamais !

— Moi non plus... et je serais heureuse de voir un gazomètre ou une cheminée d'usine !

— Vous n'en avez pas assez vu comme ça au Japon ?

Miss Dillaway rit doucement.

— Le Japon ! Il ne durera pas. Les efforts de son peuple en deviennent presque émouvants...

Montrant le paysage d'un mouvement du menton, elle poursuivit :

— Les Japonais, cette terre que vous voyez là

les avalera en deux ou trois siècles et peut-être s'en
rendent-ils déjà compte ! Ils ont l'air de gamins
qui jouent à la guerre. Que ce soit votre avis ou
non, n'allez pas me dire de baisser le ton ! On me
l'a trop répété.

Le train s'arrêtait dans une petite gare, semblable
à la plupart de celles qu'ils avaient vues sur la
ligne, une petite gare en brique jaune, dont les
bâtiments avaient évidemment été conçus par un
Européen. Elle était protégée par un mur de sacs
de sable. Commandés par un caporal, quelques
hommes se tenaient sur le quai, au garde-à-vous.

— Regardez-les ! reprit miss Dillaway. Ils ont
englouti la Mandchourie, mais ils sont encore obligés de se cacher derrière des sacs de sable. Vous
ne trouvez pas ça émouvant ?

— Ils ne me paraissent pas émouvants, dit Calvin. Ils me font plutôt l'effet de gens qui connaissent
leur affaire.

— Ils n'en sont pas moins émouvants, répliqua
miss Dillaway, puisque cela ne les mène nulle part !
Vous allez jusqu'à Peiping ?

— Je vais plus loin que ça.

La réponse parut faire plaisir à miss Dillaway,
qui reprit :

— Alors, si ça ne vous fait rien, nous ne nous
quitterons pas trop ! Ce pays et ce train, je n'ai pas
honte de l'avouer, me fichent la frousse. J'avais un
guide, mais il me quitte.

— Il vous quitte ?

Miss Dillaway répondit d'un signe de tête.

— Oui. Vous l'avez vu. C'est ce Russe qui ne
me lâchait pas d'une semelle... Comme je n'ai pas
le don des langues et comme je me mets assez facilement en colère, j'avais demandé à l'hôtel de me
procurer un guide. On m'a déniché ce Boris. Le
malheur, c'est que je ne dois pas très bien comprendre les étrangers. Il me laisse tomber. Il m'en

a informé hier matin, quand nous sommes montés dans ce train. Il a dû se passer quelque chose

— Se passer quelque chose ?

Miss Dillaway eut un geste d'insouciance.

— Vous savez comment sont les étrangers ! Boris était charmant... Et puis, brusquement, il est devenu glacial et m'a annoncé qu'il me quitterait à Moukden. Ça m'est égal, du moment que j'arrive à destination.

Regardant Calvin bien en face, elle ajouta, après un silence :

— Pour vous, j'imagine que c'est l'endroit où vous allez qui vous est indifférent... Je me trompe ?

— Pourquoi croyez-vous ça ?

Elle sourit.

— Je vous ai observé, pardonnez-moi, comme vous m'avez observée, vous, et c'est l'impression que vous m'avez donnée. Ça ne vous ennuierait pas de me dire où vous allez ?

Le ton amical rachetait la brutalité de la question.

— Il y a deux jours que je souhaite de m'entretenir avec quelqu'un qui ne soit pas de la police, répondit Calvin, et je ne vois pas pourquoi je ne vous dirais pas que je vais au delà de Peiping, exactement à Kalgan et, de là, à Ghuru Nor. Je rejoins une mission dirigée par un certain docteur Gilbreth

Miss Dillaway manifestait un tel étonnement qu'il s'interrompit pour lui demander en quoi ce qu'il avait dit était surprenant.

— En ce sens, déclara-t-elle, que vous n'avez pas l'air d'un type à travailler avec Gilbreth. C'est lui qui vous a choisi ?

— Pourquoi pas ? En tout cas, c'est lui que je vais retrouver !

— Si je vous pose la question, reprit-elle, c'est

que ça m'intéresse parce que, moi aussi, je vais le rejoindre. Votre spécialité, qu'est-ce que c'est ?

Gêné par le calme regard de la jeune femme, il répondit :

— Je n'en ai pas. Et vous ?

— Moi ? dit-elle. Je peins. Des vases, des casseroles, des crânes, des paysages, tout ce qu'on veut ! J'en ai fait des masses, mais jamais en Asie. Si c'est la curiosité qui vous pousse là-bas, vous serez déçu. On y crève de chaud, on y mange mal et, dans la bande de Gilbreth, on se dispute tout le temps ! Vous pouvez être sûr que je n'irais pas là-bas si je n'étais pas payée pour ça !... Vous, pourquoi y allez-vous ?

Calvin Gates rougit. Miss Dillaway devait être la jeune femme à laquelle la lettre faisait allusion, la jolie fille qui n'était pas toujours commode.

— Pour des raisons personnelles, dit-il.

— Excusez-moi, Gates ! Je ne voulais pas être indiscrète. Si nous allions au wagon-restaurant ? Vous m'offririez quelque chose en attendant le déjeuner...

— Avec joie.

Au wagon-restaurant, ils s'installèrent face à face devant une table et se firent apporter du whisky.

— A votre santé ! dit Gates, levant son verre. Me permettrez-vous de vous faire remarquer que vous ne paraissez pas très contente de savoir que je vais à Ghuru Nor ? Bien sûr, je ne pensais pas que vous alliez vous mettre à crier de joie, mais j'ai de bons côtés, je puis rendre service et...

Elle lui coupa la parole.

— Ne vous froissez pas, Gates ! Vous voyagez parce que vous aimez l'aventure et moi pour gagner ma vie. C'est toute la différence. J'ai été en Perse, en Mésopotamie, en Amérique centrale, en Afrique occcidentale, toujours pour travailler, et, partout, j'ai rencontré des gens qui étaient là pour leur plaisir... Ils vous causent des tas d'ennuis, parce qu'ils n'ont rien de mieux à faire. Il faut bien qu'ils s'occupent, n'est-ce pas ? Naturellement, je ne parle pas pour vous.

— Je pourrais porter vos carnets de croquis.

— Ne dites pas de bêtises ! Vous, je crois que vous êtes un chic type. Enfin, je l'espère.

— Merci toujours !

— Ne soyez pas susceptible !

Portant une main devant sa bouche et baissant la voix, elle ajouta :

— Ce Japonais qui à l'air d'être votre ami, qui est-ce ? Vous savez, l'homme aux dents d'or et aux bas rouges ?

— Il s'appelle Moto et j'ai fait sa connaissance sur le bateau.

— Il a passé la journée d'hier à essayer de me parler et c'est pourquoi j'ai engagé la conversation avec vous... Ah ! voici Boris ! Quand il y a quelque chose à boire, on est sûr de le voir arriver...

Le Russe hésitait à s'approcher. Miss Dillaway lui fit signe.

— Asseyez-vous, Boris ! Je vous présente M. Gates. Que prenez-vous ? Un peu de vodka ?

Le guide fit claquer ses talons, salua du buste et serra la main de Calvin, en lui affirmant qu'il était ravi et honoré de faire sa connaissance.

— Ma chère miss Dillaway, dit-il ensuite, je boirai ce que vous voulez ! N'importe quoi.

— Gardez vos politesses ! répliqua la jeune femme. Vous vous êtes engagé à veiller sur moi jusqu'à destination et, maintenant, vous me tirez votre révérence !

Boris s'assit. Il y avait de la tristesse dans ses yeux bleus.

— Mais je vous ai expliqué que je ne peux pas faire autrement, dit-il. J'ai reçu un message de ma femme. Elle est malade, très malade. Croyez bien que, sans un motif impérieux, je n'aurais...

Miss Dillaway ne le laissa pas poursuivre.

— Buvez votre vodka, Boris, et parlons d'autre chose !

Le Russe avala une gorgée et reprit :

— Au surplus, maintenant que vous avez trouvé un compagnon de voyage qui est votre compatriote, tout ira tout seul. Le portier de l'hôtel s'occupera de vous à Moukden pour vous mettre dans le train et, à la douane de Shan-hai-kuan, il y aura quelqu'un pour surveiller la visite de vos bagages. En fait, ma chère miss Dillaway, je ne vous aurais été d'aucune utilité.

— Ne revenons plus sur tout ça ! déclara la jeune femme. A Moukden, vous m'accompagnerez à l'hôtel et je vous paierai.

Boris paraissait navré. Il reprit :

— Je suis désolé, miss Dillaway, et je vous répète que vous ne me devez rien. Je tiens seulement à ce que nous fassions la paix et c'est pourquoi je vous serais très reconnaissant de bien vouloir accepter de moi un modeste cadeau.

Fouillant dans la poche de son veston, il s'éclaircit la gorge et continua :

— Vous me feriez plaisir en recevant ceci en gage de paix. C'est un étui à cigarettes en argent. Vous avez dû en voir de semblables au Japon. Ils sont incrustés d'acier...

D'un geste assez timide, le Russe posait l'objet sur la table. C'était un étui à cigarettes en argent, de peu de valeur sans doute, mais assez menu et assez joli pour qu'une dame pût le porter dans son sac. Ce fut seulement lorsque miss Dillaway le prit en main que Calvin Gates s'aperçut qu'il y avait sur l'étui une décoration qui lui rappelait quelque chose : c'était un vol d'oiseaux au-dessus d'une prairie. Sa conversation avec M. Moto lui revint en mémoire.

Boris, le front moite, poursuivait :

— Je sais, miss Dillaway, que ce cadeau n'est pas digne de vous, mais je vous supplie de ne pas le repousser et de tenir que vous ne me devez aucun salaire.

Miss Dillaway souriait.

— Merci, Boris ! Je suis sensible à votre attention, mais je vous paierai à Moukden. Inutile de faire de grands gestes, c'est décidé !

— Je vous en prie, ma chère miss Dillaway ! Vous vous méprenez sur mes intentions. Dans mon esprit, ce cadeau...

— Ne dites plus rien, Boris, et sauvez-vous ! J'ai à parler à M. Gates. Je vous verrai à Moukden. Merci encore !

Les talons du Russe claquèrent de nouveau, il salua et disparut. Miss Dillaway poussa un soupir.

— Bien travaillé ! dit-elle. Maintenant, je lui dois quelque chose ! Et il me donne un étui à cigarettes alors que j'en ai déjà un !

Elle ouvrit son sac et et y laissa tomber l'objet. Elle reprit :

— Vous voulez une de mes cigarettes ?... Vous voyez, l'étui est presque le même. Le motif est différent, mais le travail identique. Qu'est-ce qu'il y a, Gates ?

— Rien. C'est un très bel étui.

— Vous pensiez à autre chose...

— Du tout !

Ce fut le seul incident d'un voyage long et monotone, qui s'acheva à Moukden dans la bousculade désordonnée des porteurs qui s'affairaient autour des bagages à main. Le train était entré en gare au début de la soirée, avec l'important retard prédit par M. Moto. Sur le quai, le Japonais s'approcha de Calvin, qui regardait miss Dillaway s'éloigner avec Boris, porteur de ses valises.

— Je serais heureux, monsieur Gates, dit M. Moto, de vous conduire à l'hôtel. A Moukden, quand il fait noir, on s'égare facilement...

— Je vous remercie.

— C'est un plaisir. La ville est très curieuse pour un étranger...

M. Moto disait vrai. Même dans l'obscurité, les rumeurs de la cité indiquaient à Calvin Gates qu'il pénétrait dans un monde nouveau, différent de celui qu'il connaissait. Il oublia l'incident du train pour s'intéresser à cette vie étrange qu'il sentait grouiller autour de lui.

## 4

Hors de la gare, M. Moto fit signe à un taxi. Calvin Gates eut, très vive, l'impression que la ville restait imprégnée du souvenir de la guerre et menacée par le conflit duquel on parlait. Il n'était pas besoin qu'il fît jour pour comprendre que Moukden était un carrefour d'empires. On apercevait, à côté des automobiles et des *rickshaws*, des voitures qui rappelaient, par leur type, que la Russie avait longtemps fait la loi en Mandchourie. Une pauvresse en haillons s'approcha de M. Moto, demandant la charité. Le Japonais lui jeta quelques mots brefs. Elle s'éloigna.

— Elle porte des vêtements chinois, expliqua-t-il à son compagnon, mais c'est une Russe. J'espère que vous pourrez visiter la ville. Il y a tant de choses à voir !

— Je m'en vais demain.

— Je le regrette pour vous. Elles valent d'être vues. Montez, je vous en prie !

Dans la voiture, M. Moto entreprit d'expliquer à Calvin comment avaient évolué les événements qui avaient finalement amené la création en Mandchourie d'un Etat indépendant.

— Il faut comprendre, dit-il, que les Chinois font tout pour compliquer les choses.

— Est-ce pour cela que vous faites garder toutes les gares ?

— Sans doute...

L'hôtel avait dû être construit au temps des Russes. A l'intérieur, avec son ascenseur poussif, son large escalier et ses vieilles boiseries, il faisait songer à un petit hôtel de province, comme on en trouve encore en France. Le service était fait par des Japonais.

Au bureau, Calvin rencontra miss Dillaway.

— J'ai réglé Boris, lui annonça-t-elle. Nous dînons ensemble ?

Calvin consulta du regard M. Moto.

— Acceptez, je vous en prie ! dit le petit Japonais avec empressement. Je dois dîner avec le directeur, qui est de mes amis.

Une demi-heure plus tard, miss Dillaway retrouvait Calvin Gates dans le hall. Ses cheveux étaient tirés en arrière et il n'y avait pas la moindre trace de poudre de riz sur son visage.

— Je veux espérer pour vous, Gates, déclarat-elle, que votre chambre est meilleure que la mienne. Les Japonais ont la réputation d'être très propres, mais elle est bien usurpée en ce qui concerne cet hôtel. Je me demande où est passé Boris.

— Il n'est pas ici ?

Miss Dillaway secoua la tête. Elle avait conservé son costume de tweed brun. Dans la vaste salle à manger, on l'eût prise pour une petite pensionnaire. La nourriture était à peine passable.

— A votre place, Gates, je ne toucherais pas à cette salade ! Je voudrais bien savoir pourquoi ce Russe continue à me préoccuper. Peut-être parce que j'ai peur de l'avoir blessé... Ces étrangers sont tellement susceptibles !

— Ne pensez plus à lui !

— Je ne pense à lui que parce qu'il avait toujours l'air d'avoir peur. Il était comme le lapin dans *Alice au Pays des Merveilles*, toujours en train de tressaillir... Je me fais toujours du souci pour les autres, jamais pour moi. Vous verrez que, bientôt, c'est à propos de vous que je me mettrai à me tracasser !

— A propos de moi ? Et pourquoi ?

Elle sourit, les paupières plissées.

— Je ne sais pas. On dirait qu'il y a quelque chose qui vous préoccupe.

— Peut-être me faites-vous peur ?

— Ne dites pas de sottises ! Je ne vous fais pas peur et vous le savez bien. Ce qui vous ennuie, c'est que vous ne pouvez rien faire pour moi ! Ce n'est pas ça ? Vous n'avez sans doute jamais rencontré une femme qui soit capable de se débrouiller toute seule. C'est mon cas, pourtant. Sur quoi, je vais me coucher et bien dormir. Bonne nuit, Gates !

Calvin se leva et salua.

— Et surtout, reprit-elle, ne vous en faites pas pour moi ! Nous nous retrouverons au train demain matin. Où est mon sac ?

Il le lui tendit.

— Je dois perdre la tête, dit-elle. C'est la première fois que je lâche mon sac. Bonne nuit !

— Je vous accompagne. J'ai sommeil, moi aussi.

Calvin ouvrit la porte-fenêtre de sa chambre, s'avança sur le balcon et respira largement l'air de la nuit. En dessous de lui, il apercevait les lumières des voitures et des autos qui passaient dans la rue. Sa chambre était presque confortable : un lit en bois, très simple, un tapis de laine vert, un bureau et quelques sièges. Une lampe électrique pendait du plafond, juste au milieu de la pièce, éclairant des murs peints en crème.

Calvin Gates pensait à miss Dillaway. Elle l'intriguait et il se demandait si elle lui plaisait ou non. Il n'avait jamais rencontré quelqu'un qui lui ressemblât. Elle était seule, assez dépaysée en cette lointaine partie du monde, elle aurait pu très facilement être aimable et se faire des amis et on eût dit, au contraire, qu'elle s'appliquait à tenir les gens loin d'elle. Elle se comportait comme quelqu'un qui joue un rôle. Elle était désagréable exprès, mais ses brutalités avaient quelque chose d'affecté. Il en était sûr, parce qu'il avait pu, à table, la regarder alors qu'elle ne s'observait pas. Il avait été surpris, alors, par la douceur de sa physionomie, par la grâce de sa bouche, qui avait perdu son expression ordinaire de méfiance, par une sorte de beauté aristocratique aussi, qui s'était évanouie dès qu'elle avait repris possession de son personnage.

— En plus de ça, murmura Calvin, elle ne lâche jamais son sac. C'est le contraire qui m'aurait surpris !

Calvin Gates s'éveilla au milieu de la nuit et regarda l'heure à son montre-bracelet, dont le cadran était lumineux. Il était minuit moins vingt. On frappait à sa porte, doucement, mais avec insistance. Il donna la lumière, sortit de son lit, glissa ses pieds dans ses pantoufles et enfila son trench-coat.

Il ouvrit la porte et, dans le couloir mal éclairé, reconnut Boris.

— Tiens ! s'écria-t-il. Qu'est-ce que vous voulez ?

Boris souriait d'un air humble. Il avait des gouttes de sueur sur le front. Calvin songea que la comparaison de miss Dillaway était juste : l'homme avait certainement quelque chose du lapin apeuré d'*Alice au Pays des Merveilles*.

— Excusez-moi, monsieur ! dit-il. Pourriez-vous me recevoir un instant ?

Calvin, qui sentait une certaine colère monter en lui, fut frappé de l'expression du visage de Boris, manifestement en proie à quelque terreur contre laquelle il s'efforçait de lutter. Le Russe insista :

— Je vous demande bien pardon, monsieur, et je comprends très bien vos sentiments. Mais je n'en ai que pour une minute et il s'agit de quelque chose d'important.

Calvin sentit un petit frisson lui courir dans l'échine. Il était clair que quelque chose n'allait pas. L'attitude même de Boris le proclamait.

— Entrez ! dit-il. Qu'est-ce qui se passe donc, Boris ?

Le Russe ferma la porte derrière lui.

— Merci, monsieur ! Je n'en ai que pour un moment et je ne crois pas qu'il y ait vraiment du danger.

— Du danger ?

Le Russe sourit des yeux.

— C'est une façon de parler, monsieur ! Je suis assez... ennuyé à cause de miss Dillaway. Il ne s'agit que de peu de chose, mais...

— Que venez-vous me parler de miss Dillaway ? Où voulez-vous en venir ?

— J'ai peur, monsieur, de ne pas m'être conduit avec elle comme j'aurais dû. Cet étui à cigarettes dont je lui ai fait cadeau, il serait mieux, puisque vous voyagez avec elle, que ce soit vous qui le preniez ! Il est possible qu'un de mes amis le réclame. Je le lui ai promis. Vous le lui remettriez.

Il parlait si bas que Calvin l'entendait à peine.

— Qu'est-ce que vous me racontez là ? demanda-t-il. Je ne comprends pas.

Boris se passa la langue sur les lèvres avant de répondre. La question semblait l'embarrasser.

— C'est tout ! dit-il enfin. Cet étui était destiné à un de mes amis et, sur le moment, je n'y ai pas réfléchi !

Sa voix n'était qu'un souffle.

— Vraiment ? s'écria Calvin. Eh bien ! maintenant, vous allez réfléchir ! Parce que, cette fois, vous vous êtes trompé de bonhomme et vous ne sortirez pas d'ici avant de m'avoir expliqué cette histoire-là de façon satisfaisante. Qu'est-ce que ça veut dire, tout ça ?

Boris s'humecta de nouveau les lèvres.

— Mais ce n'est rien ! J'ai eu tort, sans doute, de parler de cet étui. Seulement, un de mes amis le réclamera. Miss Dillaway ne comprendra peut-être pas. Elle est si... entière, si vive ! Je ne voudrais pas qu'il lui arrive du mal. Il s'agit d'un ami à moi...

Il s'interrompit, la bouche ouverte, comme cherchant la fin de sa phrase. Il regardait derrière Calvin, dans la direction de la porte-fenêtre, qui venait de crisser très légèrement. Il y eut une bouffée d'air frais. L'Américain, surpris par le regard effrayé du Russe, se retourna.

Venu par le balcon, un petit homme trapu avait pénétré de deux pas dans la pièce. Quand, par la suite, Calvin essaya de reconstituer mentalement la scène, il découvrit qu'il n'avait du personnage lui-même qu'un vague souvenir. Il revoyait un visage aplati, assez large, des yeux très noirs et des lèvres serrées. Ce qui avait retenu son attention, ce n'était pas l'homme, mais ses gestes. Des gestes calmes, précis, exécutés sans hâte, sous le regard même de Calvin, qui avait peine à croire à la réalité de ce qu'il voyait. L'inconnu, qui tenait à la main un pistolet pourvu d'un long « silencieux », avait levé le bras avec toute la lenteur d'un tireur à l'entraînement et le coup était parti. Il n'avait tiré qu'une balle et elle n'avait pas fait plus de bruit qu'une flèche de bois sortant d'une carabine à air comprimé. Pas un mot n'avait été prononcé. Boris, les yeux écarquillés, avait fléchi les genoux et, glissant entre les bras de Calvin qui s'était précipité vers lui, s'était écroulé sur le tapis. Il était mort. La balle l'avait frappé en plein front, juste entre les deux yeux. Lorsque Calvin Gates se retourna, l'homme avait disparu. On eût dit que la scène avait été patiemment et minutieusement répétée, comme au théâtre. Calvin eut quelque peine à se rendre compte qu'il venait d'assister à un meurtre, commis de sang-froid par un maître assassin.

Autour de lui, tout était silencieux. L'affaire avait été menée avec une étonnante discrétion. Le meurtrier, venu par le balcon de quelque chambre voisine, avait vraisemblablement écouté la conversation par la porte-fenêtre entr'ouverte et n'avait eu ensuite qu'à la pousser pour accomplir sa besogne. Calvin prit une profonde inspiration et ses joues retrouvèrent un peu de couleur.

Il en était là de ses réflexions quand un bruit léger appela son attention sur la porte. La poignée tournait doucement. S'il eut l'envie de faire un mouvement, le temps lui manqua pour l'exécuter. Déjà, M. Moto, entré dans la pièce, fermait la porte derrière lui.

Le petit Japonais regarda le corps gisant sur le tapis et dit d'une voix aimable :

— Il est... liquidé ?

## 5

Calvin regarda M. Moto sans rien trouver à répondre... et il n'y avait pas grand'chose à dire. Le petit Japonais, maintenant vêtu d'un banal veston noir, paraissait parfaitement à son aise. Son masque demeurait impassible, mais ses yeux souriaient.

— Je suis désolé pour vous de ce qui arrive ! dit-il. Désolé !... Car c'est vous qui l'avez tué, j'imagine ?

Calvin, qui venait de se promettre de rester calme, réagit avec plus de vigueur qu'il n'eût souhaité.

— Non ! fit-il. Et je crois que vous le savez aussi bien que moi !

D'une voix qui n'était qu'un murmure, M. Moto pria gentiment Calvin de parler moins haut. Il ajouta :

— Oui, je suis désolé pour vous ! Je n'ai pas pu faire autrement que d'entendre le bruit...

— Vous tendiez l'oreille, hein ? demanda Calvin. Pourquoi ? Et pourquoi êtes-vous tout le temps à rôder autour de moi ?

M. Moto leva en l'air sa main délicate.

— Pourquoi ne raisonnez-vous pas un peu, monsieur Gates ? Cet homme est mort et il était seul avec vous dans cette pièce. Je l'ai vu entrer.

— Ça vous regardait ?

— Je vous en prie, monsieur Gates, reprit

M. Moto, restez calme ! Tout ira tellement mieux !
Ne vous demandez pas qui je suis, mais soyez gentil
et asseyez-vous dans le fauteuil, près de la table !

— Allez au diable ! s'écria Calvin.

— Ça ne nous avancerait pas ! répliqua M. Moto.
Asseyez-vous, je vous en prie ! Ce serait beaucoup
mieux, vous ne croyez pas ?

M. Moto souriait. Il y eut un silence. Calvin
fronça le sourcil, ferma la ceinture de son trench-
coat et dit :

— Soit ! Je m'assieds. Et après ?

M. Moto était aussi calme qu'un entrepreneur de
pompes funèbres devant un mort et il était évident
que ce genre de situations lui était familier. Il
contempla longuement le cadavre et murmura :

— C'est tellement maladroit ! Tellement !

Il s'agenouilla près du corps, le fouilla rapidement, puis se remit debout. Calvin eut le sentiment
qu'il n'avait pas trouvé ce qu'il cherchait. M. Moto,
après avoir brossé du revers de la main les genoux
de son pantalon, s'inclinait cérémonieusement
devant lui.

— Monsieur Gates, dit le Japonais, j'ai une faveur
à vous demander et je veux espérer, pour vous et
pour moi, que vous me l'accorderez ! Ne soyez pas
fâché, je vous en supplie !

Calvin avait déjà compris : M. Moto allait, non
pas demander une faveur, mais exiger.

— De quoi s'agit-il ?

Le Japonais répondit avec une hésitation admi-
rablement feinte, mais dont Calvin comprit pourtant qu'elle était simulée.

— Je suis désolé ! Il s'agit d'une très regrettable
erreur. C'est pour nous une joie que de mourir
pour notre Empereur... et, parfois, nous en faisons
trop !

— Enfin, reprit Calvin, qu'est-ce que vous voulez
me demander ?

M. Moto s'inclina de nouveau et dit :

— Simplement, monsieur Gates, la permission de vous fouiller. Je le ferai avec la plus grande discrétion, je me contenterai de promener mes mains sur vous. C'est si peu de chose !

— Et si je refuse ?

— Alors, ce sera fait par quelqu'un d'autre.

— Vous avez déjà visité mes bagages. Ça ne vous suffit pas ?

M. Moto sourit.

— Je suis navré d'avoir été contraint de le faire. Rien ne vous a été pris. Voudriez-vous vous lever ?

Calvin Gates obéit à regret. M. Moto tâta ses poches d'une main légère.

— Merci infiniment, dit-il. C'est si gentil à vous ! J'imagine que vous vous posez toutes sortes de questions et que vous vous demandez ce que nous sommes en train de faire. Tout se passera tellement bien, tout sera si facile, si vous consentez à m'aider !

— Tout irait tellement mieux, répliqua Calvin, si vous vouliez bien ne pas répéter que tout va très bien ! Qu'est-ce que vous attendez de moi ? Je ne sais rien. Un homme est entré dans ma chambre, un homme que je ne connais pas, et on l'a tué sous mes yeux. C'est tout !

M. Moto alluma une cigarette et s'assit avec précaution sur le bord du lit.

— Tout cela, dit-il, est très maladroit. Il n'aurait pas dû être tué. Il l'a été et c'est une erreur. Nous ne pouvons qu'une chose, monsieur Gates... Il nous faut oublier tout ça. Vous ne croyez pas que ce sera beaucoup mieux ?

Calvin regarda M. Moto d'un air incrédule.

— Oublier ?

Souriant, M. Moto hocha la tête.

— Il est tellement mieux de ne pas se souvenir des erreurs ! Voulez-vous m'écouter un instant, je vous prie ?

Calvin jugea inutile de répondre.

— Pourquoi vous tracasser ? reprit le Japonais. Vous êtes en voyage... et j'imagine que vous ferez un excellent voyage.

La voix était douce, mais Calvin eut l'impression d'une menace cachée.

— Continuez ! dit-il. Je ne suis pas idiot.

— Oh ! non, s'écria M. Moto, vous n'êtes pas idiot ! Et c'est justement pourquoi j'aimerais vous faire une humble suggestion.

— Je vous écoute.

— Si vous êtes d'accord, je parlerai au directeur de l'hôtel, qui est mon ami. Il se met en quatre pour les touristes et il se fera une joie de vous donner une autre chambre. Ce qui s'est passé dans celle-ci restera un petit secret entre nous et nous n'en dirons rien à personne, surtout pas à cette charmante jeune femme, miss Dillaway, qui en serait toute bouleversée. J'espère, monsieur Gates, que vous me comprenez. Dans le cas contraire, votre voyage serait peut-être beaucoup moins agréable.

— C'est une menace ? demanda Calvin.

M. Moto leva la main droite en l'air.

— Je vous en prie ! Pourquoi ce vilain mot ? Je fais ce que je puis pour vous et il ne s'agit pas d'une menace, mais d'une requête. Je suis tellement navré pour vous ! La police vous suspecte.

Calvin pâlit.

— Je m'excuse, monsieur Gates, de vous dire cela si brutalement, mais il y a tant de gens en Asie qui sont dans le même cas que vous ! Tout ira beaucoup mieux en Mongolie. Là-bas, il n'y a pas de police.

Calvin passa la main sur son front en sueur.

— Je ne vous crois pas ! dit-il. Vous vous trompez. Il ne m'aurait pas fait ça ! Il s'agit, monsieur

Moto, d'une affaire de famille, que je vous expliquerai, si vous le désirez. Vous vous trompez, je vous l'affirme !

L'attitude de M. Moto laissait entendre qu'il était sûr du contraire.

— Je vous en prie, monsieur Gates ! Vous n'avez aucune raison de rien m'expliquer, mais vous pouvez m'aider et tout ira parfaitement bien si vous voyagez vite !

— Mais, demanda Calvin, pourquoi la police me rechercherait-elle ?

M. Moto sourit.

— Pour vol. Pardonnez-moi de le dire si crûment ! Un gentleman de New-York prétend qu'on l'a dépouillé de sommes importantes au cours de ces dernières années. Il dit que c'est vous le coupable. J'espère qu'il fait erreur...

Calvin se sentait les paumes moites.

— Au cours de ces dernières années ? répéta-t-il. C'est faux ! Il n'y a eu qu'un seul... détournement. Le gentleman, c'est mon oncle et, j'y insiste, il s'agit d'une simple affaire de famille. Il ne peut pas avoir fait signe à la police. C'est un homme et je ne puis croire...

Il n'acheva pas sa phrase.

— Expliquez-vous !

— Avec plaisir, dit M. Moto, qui ne quittait pas son interlocuteur des yeux. Vous vous rendez en Mongolie. C'est un pays étrange, auquel nous autres, Japonais, nous nous intéressons beaucoup. Vous dites que vous êtes un savant. Il n'en est rien, monsieur Gates. Ne m'interrompez pas, je vous en prie ! Nous sommes renseignés. Vous avez eu de sérieuses difficultés à l'Université de Yale et, depuis, vous êtes dans le commerce, où vous ne réussissez guère. Vous avez gagné des championnats de tir, au fusil et au revolver. Il est très curieux, je m'excuse de le faire remarquer, de vous voir par ici... On voit bien des gens bizarres en Asie, monsieur Gates... Des gens qui sont recherchés par la police...

Penché en avant, son regard plongé dans celui de l'Américain, M. Moto poursuivit :

— J'ai bien peur, monsieur Gates, que vous ne soyez un homme dangereux, encore que je n'en sois pas absolument sûr. Je crois que vous ne seriez pas fâché de me tuer, mais, je vous en prie, n'essayez pas !

Calvin Gates enfonça les mains dans les poches de son trench-coat.

— Si l'occasion s'en offrait, dit-il, j'essaierais. Vous ne me plaisez pas, monsieur Moto !

— J'en suis désolé ! répondit M. Moto. Mais, écoutez-moi, monsieur Gates ! J'ai reçu ce soir un télégramme vous concernant. La police de votre pays vous recherche.

Calvin Gates ne répondit pas tout de suite. Tout en s'appliquant à se composer un visage qui ne laissât rien deviner de ses sentiments, il s'efforçait de deviner les raisons de l'intérêt que lui portait M. Moto.

— La police ? dit-il enfin. Vous devez être fou !

— Je suis navré ! reprit M. Moto. En tout cas, vous ne voulez pas rentrer à New-York. Je me trompe ?

Calvin songeait au passé.

— C'est elle, murmurait-il, parlant pour lui-même plus que pour M. Moto, et ça lui ressemble bien ! Cette fille ferait n'importe quoi...

Il s'interrompit brusquement, comme s'il se souvenait soudain que M. Moto n'était pas de ses amis, et dit, sur un tout autre ton :

— Vous avez raison, je ne veux pas rentrer à New-York. S'il venait à être au courant, la vérité le tuerait. J'entends tirer cette histoire-là au clair et c'est pourquoi je veux voir Gilbreth.

M. Moto se leva et vint se camper devant Calvin.
L'Américain se rendit compte qu'il y avait dans ses
manières quelque chose de changé, une sorte d'assurance qui lui semblait nouvelle. Dans son trouble, il
s'en apercevait trop tard, il en avait trop dit.

— Tout est tellement mieux, maintenant que nous
nous comprenons ! déclara posément M. Moto. Les
choses iront toutes seules, monsieur Gates, j'en suis
convaincu, si vous faites attention à vous !

Après un court silence, l'index levé en l'air, il
ajouta avec quelque emphase :

— Seulement, monsieur Gates, il vous faut faire
attention ! J'ai l'habitude des fripouilles et elles ne
me font pas peur... enfin, pas énormément. Je n'aimerais pas sentir vos mains me serrant à la gorge
et j'ai été très heureux de constater qu'il n'y avait
pas d'armes dans vos bagages. Vous avez l'air très
gentil, très aimable, mais je vous crois dangereux...
Et aussi très fort !

Calvin Gates haussa les épaules.

— C'est très gentil à vous de le dire, mais c'est
une erreur. Je suis un imbécile et un sentimental.
Sinon, je ne serais pas ici ce soir.

M. Moto s'inclina courtoisement.

— Je vous accorde, dit-il, que les Nordiques ne
sont pas toujours très logiques avec eux-mêmes. Je
ne vous demande pas, monsieur Gates, ce que vous
avez fait. Vous êtes recherché pour vol par la police,
mais vous êtes mieux qu'un voleur, c'est mon sentiment. Je ne m'interroge pas à votre sujet et vous ne
vous interrogez pas au mien.

Calvin Gates se sentait un peu plus à l'aise.

— Je ne m'interroge pas à votre sujet, dit-il,
parce que je me moque éperdument de ce qui vous
concerne !

— Je vous remercie, répondit M. Moto, d'exprimer si clairement votre pensée. Nos autorités ont été

priées de vous mettre en état d'arrestation, mais c'est, je crois, une chose qui peut s'arranger. Il est assez heureux que j'aie quelque influence.

— On voudrait m'arrêter ?

— Mais oui !

Calvin réfléchit quelques secondes.

— Et vous désirez que je ne me souvienne de rien ? Soit. S'il n'y a que ça pour vous faire plaisir, c'est entendu, à condition que je puisse poursuivre mon voyage.

M. Moto se frottait les mains.

— Vous vous remettrez en route demain matin, monsieur Gates, comme si rien ne s'était passé. Seulement, il y a encore autre chose. Il y a cet étui à cigarettes avec de petits oiseaux. Je ne le vois pas ici...

Calvin répondit, presque avec bonne humeur :

— Si c'est cet objet que vous voulez avoir, je puis vous le procurer. Je regrette seulement que vous ne m'ayez pas dit ça plus tôt.

M. Moto secoua la tête.

— Cet étui, du moment que vous ne l'avez pas, je sais où il est. Supposons que je n'aie rien dit, ne bougez pas et oubliez ça ! C'est très important, croyez-moi !

— Parfait ! Je ne vois pas quel jeu vous jouez, mais je ne bougerai pas et j'oublie.

— Je suis tellement heureux, monsieur Gates, que vous me compreniez si bien ! Le jeu que je joue est d'une importance considérable, permettez-moi de le dire, et je n'hésiterai pas à m'engager aussi loin qu'il sera nécessaire. Je vais vous montrer votre nouvelle chambre. Elle est juste de l'autre côté du couloir. J'espère que vous y dormirez très bien et que votre voyage sera le plus agréable du monde.

Calvin contourna le cadavre gisant sur le plancher et se dirigea vers la porte.

— Allons ! J'imagine, monsieur Moto, que je vous reverrai ?

— J'en doute, monsieur Gates. Et, dans votre intérêt, j'espère que non.

Calvin Gates regardait le petit homme. Il avait conscience que ce Japonais l'avait jeté dans une aventure à laquelle il ne comprenait rien, qu'il se trouvait mêlé à des événements dont il n'avait pas le contrôle, et que miss Dillaway, elle aussi...

— Ainsi, demanda-t-il, vous savez où est cet étui à cigarettes ?

— Pour moi, répondit M. Moto, c'est maintenant une certitude.

D'un mouvement du menton, il désigna le cadavre.

— Il ne l'a pas sur lui, poursuivit-il, et vous ne l'avez pas, vous non plus. Il est essentiel que cet étui parvienne à l'endroit où vous allez vous-même. J'espère qu'il y arrivera sans difficultés. Il le faut.

— Mais est-ce que cela ne va pas présenter quelque danger pour miss Dillaway ?

Le visage de M. Moto demeurait impénétrable.

— Cela en présenterait surtout pour vous si vous interveniez ! dit-il.

— Merci.

Les deux hommes se mesurèrent du regard. Après quelques secondes, Calvin ajouta :

— Je me souviendrai de ça, Moto.

Le Japonais sourit.

— J'en suis très, très heureux. Le contraire me ferait tant de peine pour vous ! Je vous accompagne jusqu'à votre chambre. J'aurais voulu rester pour bavarder avec vous, mais j'ai tant à faire cette nuit que je dois renoncer à ce plaisir. Vous m'en voyez navré, absolument navré !

M. Moto, ayant dit, conduisit Calvin Gates à sa

nouvelle chambre, à peu près identique à celle dont ils sortaient. Le Japonais s'effaça pour laisser passer l'Américain.

— On vous apportera vos bagages dans quelques minutes, monsieur Gates. Je suis navré de vous laisser seul, vraiment navré ! Mais j'ai tant à faire !

## 6

M. Moto parti, Calvin Gates ouvrit la fenêtre, la referma après avoir jeté un coup d'œil dans la cour obscure, puis alla tendre l'oreille près de la porte. Des pas légers couraient dans le couloir et, très basse, mais très ferme, une voix — celle de M. Moto, sans aucun doute — donnait des ordres.

Peu après, deux hommes qu'on ne pouvait prendre pour des garçons de l'hôtel apportaient sa malle à Calvin. Ils la posèrent dans un coin et firent un second voyage, avec sa serviette, sa valise et ses vêtements, que l'un d'eux disposa soigneusement sur une chaise. Calvin leur tendit un pourboire. Ils le dévisagèrent, comme surpris, secouèrent la tête et se retirèrent sans prononcer une parole. Calvin les entendit qui s'éloignaient dans le couloir. Une porte s'ouvrit et se ferma, puis ce fut le silence.

Calvin entre-bâilla très discrètement sa porte, puis la referma. Le couloir était vide. Un instant, il se demanda comment il se faisait que sa chambre ne fût pas surveillée, puis il comprit. Ce qu'il se proposait de faire était si manifestement une folie que M. Moto, qui ne le tenait pas pour un imbécile, il le lui avait dit, n'aurait jamais supposé qu'il la tenterait.

Souriant, il s'habilla dans le noir en un tourne-main et sortit de sa chambre. Il tenait ses souliers à la main. Il les laissa tomber avec fracas sur le parquet : il y eut un léger murmure de voix dans la chambre d'en face et ce fut tout. Il ferma sa porte bruyamment et, sur la pointe des pieds, courut vers le fond du couloir. Il avait évalué la distance à couvrir et se rendait parfaitement compte des risques qu'il prenait.

Il passa devant la cage de l'ascenseur, tourna à angle droit, s'arrêta et, bien caché, regarda derrière lui. Il était arrivé juste à temps : une seconde plus tard, la porte de la chambre qu'il occupait précédemment s'entr'ouvrait et la tête de M. Moto apparaissait dans l'entre-bâillement. M. Moto regarda les souliers et Calvin sourit. M. Moto referma la porte. Le sourire de Calvin s'accusa.

« J'imagine, songea-t-il, qu'il me considère maintenant comme couché pour la nuit. »

Il attendit encore quelques instants avant de se remettre en route, puis repartit à pas de loup dans le couloir, se dirigeant vers la chambre de miss Dillaway, dont il avait mentalement noté le numéro au début de la soirée. Sans hésiter, il frappa. Evidemment, c'était faire du bruit. Mais, ce risque, il ne pouvait l'éviter et il l'avait depuis longtemps prévu. Quand on fait quelque chose, il faut le faire. Il dut frapper trois fois. Enfin, une clé tourna dans la serrure, la porte s'entr'ouvrit de quelques centimètres et Calvin, sans voir la jeune femme, l'entendit qui demandait :

— Que se passe-t-il, Gates ? Que me voulez-vous ?

Calvin poussa la porte et attendit d'être à l'intérieur de la chambre pour répondre. Il dit, dans un souffle :

— Ne faites aucun bruit !

Il avait oublié usages et convenances et quelques secondes passèrent avant qu'il ne se rappelât que miss Dillaway n'était pas une abstraction et qu'il forçait son intimité avec un sans-gêne dont la grossièreté l'emplit brusquement de confusion. Elle portait un déshabillé vert pastel et ses pieds nus étaient glissés dans des mules de soie de même

couleur. La masse sombre de ses cheveux tombait
sur ses épaules, mettant en valeur l'ovale délicat du
visage. Calvin découvrit d'un même coup que miss
Dillaway avait des yeux magnifiques et qu'elle était
beaucoup plus jeune qu'il ne l'avait cru jusqu'alors.

Un peigne et une brosse, posés sur une table et
provenant l'un et l'autre d'une trousse de grand
luxe, quelques livres et le petit réveil de voyage en
cuir bleu sur la table de chevet, ces quelques menues
choses avaient comme transformé la vilaine chambre
d'hôtel et leur présence même semblait signifier à
Calvin qu'il n'aurait pas dû se trouver là. Miss
Dillaway le considérait avec une sorte de stupeur.

— Enfin, demanda-t-elle, qu'est-ce que vous
venez faire ici ? Pourquoi avez-vous forcé ma
porte ?

Calvin rougit.

— Je suis désolé ! murmura-t-il. Je ne voulais
pas vous faire peur... J'étais pressé.

Miss Dillaway se mordit la lèvre inférieure et,
d'un geste instinctif, serra plus étroitement sur elle
le déshabillé qui l'enveloppait.

— Gates, reprit-elle, est-ce que vous vous en
allez ou faut-il que je sonne ? De vous, je n'attendais
pas ça ! Vous êtes comme tous les autres. Je me
figurais...

Il lui coupa la parole.

— Je vous en prie ! Nous n'avons pas le temps !
Je suis venu ici pour vous rendre service...

— C'est une manière de voir les choses qui...

— Je vous en supplie, miss Dillaway, écoutez-
moi ! Je crois que vous êtes en danger.

La colère de la jeune femme parut tomber d'un
coup.

— En danger ? Qu'est-ce que vous voulez dire ?

Il n'y avait qu'une façon de s'expliquer. Si brutale qu'elle fût, Calvin se résigna à l'adopter.

— Votre Russe a été tué, dit-il. Meurtre politique, probablement. Exécuté, j'imagine, par la police.

Elle avança d'un pas vers lui et lui mit la main sur le bras. Ses lèvres tremblaient.

— Assassiné ! murmura-t-elle. Comment le savez-vous ?

— Je le sais, répondit-il, parce que je l'ai vu mourir.

Elle lui avait pris la main et la gardait dans la sienne. Heureux de penser qu'elle lui faisait confiance, il ajouta :

— Soyez tranquille, tout ira bien !

Elle retira sa main et il eut l'impression qu'un mur s'abattait entre eux : elle redevenait distante et lointaine, telle qu'il l'avait vue dans le train.

— Je voudrais que vous m'écoutiez, reprit-il. Il faut que vous ayez confiance en moi et que vous fassiez ce que je vous dirai. Croyez-vous que ce vous sera possible ?

Elle essaya de sourire.

— Je le pense, encore que je ne vous connaisse guère. Vous ne croyez pas que vous dramatisez un peu ?

Il ne répondit pas et la regarda longuement.

— Je suis désolé, commença-t-il, d'avoir fait dans votre chambre une irruption brutale, mais...

Elle l'interrompit.

— Ne revenons pas là-dessus, Gates ! Pourquoi me regardez-vous comme ça ?

— Parce que je vous trouve ravissante.

— Ce n'est pas une raison pour avoir l'air surpris et je ne pense pas que vous soyez venu ici pour me dire ça !

— Non. Je suis venu pour vous dire que, si ce Russe a été tué, c'est à cause de cet étui à cigarettes, celui qu'il vous a donné et qui est actuellement dans votre sac à main. Il faut vous en débarrasser au plus tôt.

Elle rejeta en arrière ses lourdes mèches brunes.

— On l'aurait tué pour ça ? Pourquoi ?

Calvin Gates écarta les mains en un geste d'ignorance.

— Il faut me croire sur parole, miss Dillaway, et nous n'avons pas le temps de nous demander pourquoi on l'a assassiné. Remettez-moi votre sac, voulez-vous ?

— Mais pourquoi ? Vous ne me le direz pas ?

— Pas maintenant.

La jeune femme inclina la tête sur le côté.

— Alors, pourquoi vous le remettrais-je ?

— Parce que je vous le demande. J'ajoute qu'il vaudrait mieux ne pas perdre de temps, car, de votre vie entière, vous n'avez jamais eu autant qu'aujourd'hui besoin que quelqu'un vienne à votre secours !

Elle le dévisageait avec un sourire légèrement ironique.

— Un chevalier ! murmura-t-elle. Il ne lui manque qu'une armure !

La remarque fut assez désagréable à Gates, qui répliqua assez sèchement :

— Je préférerais que vous ne vous moquiez pas de moi. Ce que je désirerais savoir, c'est si vous voulez, oui ou non, me remettre, non pas seulement l'étui à cigarettes, mais le sac dans lequel vous l'avez mis.

Elle prit un air chagrin pour répondre :

— Je regrette beaucoup, Gates, mais en principe je m'occupe moi-même de mes affaires. Admettons que je vous donne ce sac. Et après ?

— Après ? dit-il. Voici ! Dans une demi-heure, vous sonnerez le garçon, vous courrez à la porte et vous appellerez de toute la force de vos poumons. Vous raconterez qu'un homme s'est introduit dans votre chambre et s'est emparé de votre sac à main. Vous direz qu'il avait l'air d'un Russe. Vous pourrez faire autant de bruit que vous voudrez ! Je serai là pour vous aider.

Elle restait muette.

— Alors ? demanda-t-il. C'est oui ou c'est non ?

Quand elle parla, ce fut sur un tout autre ton.

— Je n'aurais jamais pensé, dit-elle, qu'on m'aurait fait faire une chose comme ça sans me donner d'explications et je ne sais pas pourquoi je la fais ! Je ne vous connais pas et je ne sais même pas si vous rejoignez vraiment la mission Gilbreth. Seulement, je suis toute seule ici... Vous ne me trompez pas, Gates ?

— Demain matin, je pars pour Peiping en même temps que vous.

Miss Dillaway alla glisser la main sous son traversin. Après quoi, portant un petit sac de cuir noir, elle revint vers lui.

— Voici, dit-elle. Je vais simplement retirer mon passeport et mon argent.

— N'en faites rien ! s'écria Gates. C'est justement pour cela que vous allez faire un potin de tous les diables ! Vous n'avez plus ni passeport, ni argent, c'est ça qui vous ennuie ! L'étui à cigarettes, vous n'en dites rien tant qu'on ne vous en aura pas parlé.

Fourrant le sac dans la poche de son veston, il ajouta :

— Vous n'oublierez pas ? Dans une demi-heure.

Elle répondit d'un signe de tête et, rougissant un peu, elle dit :

— J'ai l'impression, Gates, que je dois vous remercier, encore que je ne sache pas très bien pourquoi. En tout cas, faites bien attention à vous ! Vous me manqueriez si vous n'étiez pas dans le train demain matin...

## 7

*Faites bien attention à vous !*

A la réflexion, Gates trouvait à la recommanda-
tion une saveur d'ironie.

M. Moto, il ne se faisait là-dessus aucune illusion,
s'était montré très net sous ses dehors aimables. Le
petit Japonais était parfaitement en mesure de se
débarrasser de M. Calvin Gates et de le faire sortir
de scène de façon définitive, comme en était sorti
ce soir ce Russe assassiné.

Calvin regagna sa chambre, se recoucha et attendit. De temps en temps, il regardait sa montre. Dans
l'hôtel, tout semblait endormi. Miss Dillaway ferait-
elle ce qu'il espérait d'elle ? C'était le seul problème.
Il devait bientôt découvrir qu'elle jouait son rôle à
merveille.

Il entendit d'abord le bruit de l'ascenseur, puis
des pas qui couraient dans l'escalier. Presque au
même moment, la voix de miss Dillaway s'élevait
dans le couloir.

— Alors, personne n'a donc entendu mon coup de
sonnette ? Pourquoi ne vient-on pas ? Au secours !

Calvin Gates ne bougeait pas. Des portes s'ouvraient. Il y eut des murmures indistincts, dominés
par la voix de miss Dillaway, qui affichait une très
authentique colère :

— Enfin, qu'est-ce que c'est que cet hôtel ? Il est
entré dans ma chambre, il a pris mon sac et il
s'est sauvé. Il n'y a donc personne ici qui comprenne

l'anglais ? Vous allez tous rester là à ne rien faire ?

Calvin Gates sortit sans hâte de son lit, mit son trench-coat par-dessus son pyjama et ouvrit sa porte. Au bout du couloir, une demi-douzaine de personnes entourait miss Dillaway. Il y avait là des Japonais en kimono, et, dans le nombre, M. Moto et le directeur de l'hôtel, lequel invitait la jeune Américaine à garder son calme.

— Mon calme ! s'écria-t-elle. Quand on vient de me voler mon passeport, mes lettres de crédit et mes « travellers' cheques » !

Apercevant Calvin, qui s'approchait, elle l'interpella :

— Vous avez mis le temps à venir ! Vous êtes Américain, n'est-ce pas ? J'espère que vous allez me venir en aide. On m'a volé mon sac à main !

— Votre sac à main ? C'est navrant.

— Je le sais aussi bien que vous, on ne me dit que ça depuis cinq minutes ! Ce que je voudrais savoir, c'est si vous allez faire quelque chose ! Vous êtes un homme, oui ou non ?

— Une seconde ! dit Calvin Gates. Je ne vois pas...

M. Moto intervint. Il avait l'air assez contrarié.

— Permettez ! dit-il. On est en train de faire des recherches. Quand le vol a-t-il eu lieu, s'il vous plaît ?

— Il n'y a qu'un instant, répondit miss Dillaway. J'ai sonné presque au moment même où il sortait de ma chambre. Il a descendu l'escalier... Par là...

— Alors, déclara M. Moto, soyez sûre qu'on le retrouvera. Votre porte n'était pas fermée ?

— Ne posez donc pas des questions stupides ! répliqua miss Dillaway. Vous pensez bien que si ! Seulement, il n'y a pas de verrou et des serrures de ce genre-là n'ont jamais arrêté personne. Il m'a réveillée quand il a glissé sa main sous mon traversin.

— Pardonnez-moi, dit M. Moto, ma question était ridicule, en effet. A quoi ressemblait votre voleur ?

— Vous vous imaginez que je vois clair dans le noir ?

— C'est juste, je suis bête !

M. Moto regardait Calvin Gates.

— Il m'a semblé, reprit miss Dillaway, qu'il n'était pas grand et ce ne devait pas être un Japonais. Il m'a parlé.

Le visage de M. Moto s'éclaira.

— Il vous a parlé ? Qu'a-t-il dit ?

— Que voulez-vous qu'il m'ait dit ? Vous ne pensez pas qu'il m'a parlé du temps ? Il m'a dit qu'il me tuerait si je criais !

— Sa voix, je vous prie, comment était-elle ?

La réponse vint, immédiate et nette :

— C'était celle de quelqu'un qui a appris l'anglais dans un livre. Une voix de gorge, qui n'était pas anglaise, mais allemande ou russe, peut-être...

— Tiens, tiens !... Russe... Vous n'avez rien remarqué d'autre ?

— Si, une chose encore... Il se parfumait...

Calvin Gates éprouvait pour miss Dillaway une sorte d'admiration. Elle était meilleure encore qu'il n'aurait osé l'espérer. M. Moto, les yeux brillants, se frottait délicatement les paumes.

— Je vous remercie, dit-il. Quel parfum ?

— Comment voulez-vous que je le sache ? Il m'a semblé qu'il y avait du musc dedans, c'est tout ce que je puis dire.

— Je vous remercie. Je vous suis très, très reconnaissant.

M. Moto s'interrompit : du bas de l'escalier, quelqu'un, un garçon de l'hôtel, criait quelque chose en japonais. M. Moto sourit.

— Votre sac est retrouvé, reprit-il, se tournant

de nouveau vers miss Dillaway. Il était dans l'escalier.

Quelques secondes plus tard, il s'inclinait profondément devant la jeune femme pour lui restituer son bien.

— C'est bien le vôtre ? demanda-t-il, tandis qu'elle tendait la main vers le sac.

— Bien sûr, que c'est le mien ! Il était dans l'escalier ?

M. Moto fit une nouvelle courbette.

— Oui. Voudriez-vous avoir l'obligeance de vérifier ce qu'il contient ? Votre voleur aura pris peur et se sera débarrassé de l'objet sans avoir le temps de rien prendre. J'espère tant qu'il ne manque rien !

Miss Dillaway ouvrait son sac.

— Tout est là, dit-elle après un rapide examen. Il n'a même pas pris mon argent ! Il y a bien une petite chose qui est partie, mais c'est sans importance.

—Alors, tout est pour le mieux ! Je suis très content.

Calvin Gates eut l'impression que M. Moto ne disait pas tout à fait ce qu'il pensait.

— Quelle est cette petite chose qui a disparu ? demanda le Japonais.

Miss Dillaway haussa les épaules.

— Un étui à cigarettes en argent. On me l'avait donné hier. Heureusement, j'en avais déjà un et, celui-là, on me l'a laissé ! J'ai encore de la chance.

— Vous êtes trop indulgente ! dit M. Moto. Cet étui à cigarettes, à quoi ressemble-t-il ? Nous ferons l'impossible pour le retrouver.

— Vous êtes trop gentil ! répondit miss Dillaway. C'est un objet sans valeur et auquel je ne tenais vraiment pas. Il était en argent, avec des incrustations en acier représentant des oiseaux.

— Des oiseaux ? répéta M. Moto. Vous les avez comptés ?

— Comptés ? Pourquoi diable auriez-vous voulu que je les compte ?

— Evidemment ! Je ne vous en remercie pas moins.

— C'est moi qui vous remercie. Vous avez tous été très gentils.

M. Moto s'inclina.

— C'est pour nous un plaisir que de vous être agréable, miss Dillaway. Je suis sûr, d'ailleurs, que vous ne serez plus dérangée. Tellement sûr !

Calvin Gates, qui n'avait encore rien dit, avança d'un pas.

— Est-il encore quelque chose que je puisse faire pour vous, miss Dillaway ?

La jeune femme plissa le front.

— *Encore ?* Qu'est-ce que vous avez donc fait jusqu'à présent ? Vous étiez là, c'est tout !

Calvin, sans répondre, tourna les talons et s'éloigna lentement vers sa chambre. M. Moto le rejoignit.

— Monsieur Gates !

— Oui ?

Le petit Japonais parlait très bas. Il dit :

— Tout cela est désolant et j'ai honte de moi. L'affaire a été menée avec une maladresse insigne et il faut maintenant que je reparte à zéro !

— Je ne comprends pas ce que vous voulez dire ! répondit Calvin. Tout ce que je vois, c'est qu'on a volé l'étui à cigarettes.

— Exactement... et, si je ne le retrouve pas, il faudra que je me tue.

— Vous dites ?

Un sourire découvrait les dents d'or de M. Moto, un sourire stéréotypé, qui n'avait aucune signification.

— Code d'honneur, dit-il simplement. Gardez ça pour vous et ne parlez pas ! J'ai encore bon espoir.

— Je vous ai dit que je me tairai.

M. Moto, ayant tiré une carte de sa poche, griffon-
nait dessus quelques mots et la remettait à Calvin.

— Mon adresse, s'il vous plaît. Si vous entendiez
parler de cet étui, je serais si heureux que vous me
fassiez signe ! Vous avez voyagé en Angleterre,
monsieur Gates ?

— Oui. Un peu.

— Je m'en doutais. C'est sans doute là-bas que
vous avez appris à mettre vos chaussures dans le
couloir. Il y a tellement peu d'Américains qui font
ça ! J'espère que vous ferez un bon voyage.

## 8

Le lendemain, vers midi, Calvin Gates traversait le hall de l'hôtel pour aller payer sa note. Il ne savait pas si, au cours de la nuit, il s'était ou non montré adroit, mais il se rendait compte qu'il avait agi de façon dangereuse et, pour la première fois depuis bien longtemps, sans penser uniquement à lui. Il faisait beau et il y avait dans l'air quelque chose de grisant.

Le directeur s'inclina respectueusement devant Calvin en lui tendant sa note.

— Le petit déjeuner est compris, expliqua-t-il. On vous accompagnera à la gare et vous n'aurez pas à vous préoccuper de vos places. J'espère que vous avez passé une bonne nuit ?

Calvin mit sa monnaie dans la poche de son pantalon. Son visage, semé de taches de rousseur, visibles malgré la matité de sa peau brunie, était aussi inexpressif que celui de son interlocuteur.

— Excellente, dit-il. Votre hôtel est de premier ordre.

— Je suis flatté de vous l'entendre dire et vous remercie de votre indulgence.

Calvin Gates s'accouda sur le bureau.

— Avez-vous vu M. Moto ce matin ?

— Sans doute. Il s'est levé très tôt. Il est parti.

— Parti ? Il devait avoir des choses à faire.

— Certainement. M. Moto est un homme très occupé.

Calvin Gates n'insista pas. Les Japonais n'expliquaient jamais rien. Ils souriaient et s'en tenaient là. C'était tellement plus simple, tellement plus pratique ! Ils étaient tous comme M. Moto : très occupés, très dynamiques et très discrets.

Dehors, sur la place, une troupe en marche passait. Calvin avança jusqu'à la porte. C'était un régiment d'infanterie, en casque et tenue de campagne. Carrés, massifs, les nouveaux conquérants de la Mandchourie défilaient et leur présence, acceptée par tous, n'étonnait plus personne. On avait vu les Mandchous, les Russes étaient venus ensuite, puis les troupes du vieux Maréchal. Maintenant, c'étaient les Japonais...

Calvin était encore près de la porte quand miss Dillaway vint le rejoindre.

— Alors, dit-elle, vous avez envie de jouer au soldat ?

Il se retourna et lui sourit.

— Non. Seulement, ça sent la guerre !

Elle plissa le nez.

— Redescendez donc sur terre ! Cette histoire-là ne nous regarde pas. Dans une demi-heure nous serons à la gare... Si vous m'expliquiez plutôt ce qui s'est passé cette nuit ?

— Pas ici. Je suis sûr qu'on nous surveille.

— Soit !... Puisque vous vous croyez dans un roman-feuilleton, je n'insiste pas.

Ils se mirent à parler d'autre chose et c'est seulement dans le train qu'elle revint sur le sujet.

— Maintenant, dit-elle, comme la locomotive s'ébranlait, dites-moi ce qui s'est passé !

Calvin Gates croisa ses mains sur ses genoux.

— Moins vous en saurez, répondit-il, mieux ça vaudra ! Il n'y a rien que de vrai dans ce que je vous ai dit hier soir. Il a été assassiné.

Miss Dillaway fit entendre un petit rire pointu.

— Vous ferez comme il vous plaira, mais il n'y

aurait peut-être pas de mal à ce que je fusse renseignée. Je ne me suis pas bien débrouillée, hier soir ?

— On ne pouvait faire mieux.

Elle se rapprocha de lui. Leurs épaules se touchaient.

— Cet étui à cigarettes, demanda-t-elle, où est-il maintenant ?

— Qu'importe !

— Permettez ! Si vous ne me le dites pas, je ne cesserai de vous le demander !

— Je l'ai en poche.

Elle le regarda, stupéfaite et comme incrédule. Très bas, elle dit :

— Ce qui peut vous arriver, ça vous est égal ?

Calvin Gates lui sourit.

— A peu près.

Elle soupira discrètement.

— Quand je vous ai rencontré, je me suis bien dit que vous n'étiez pas tout à fait normal. Pourquoi l'avez-vous gardé ?

— Je ne sais guère. Sans doute, parce qu'il me l'a demandé.

— Qui ?

— Le Russe.

— Il vous l'a demandé ?... Et vous le faites ! Pourquoi ?

Calvin Gates fronça le sourcil et contempla le dos de sa main, piqué de taches de rousseur, comme son visage. Miss Dillaway reprit :

— Vous ne m'avez pas répondu, Gates !

Il se tourna vers elle.

— Parce que c'est très difficile. Bien sûr, je vous dois peut-être une manière d'explication...

— Vous me comblez !

Sans la regarder, il poursuivait, d'une voix lente :

— Ce ne sont pas les Japonais qui me tracassent, ce sont les autres. Je suis sûr, ces autres, qu'ils existent et que cet étui les intéresse énormément. Il s'agit, c'est évident, d'une sorte de message. Ils se figurent que vous l'avez toujours en votre possession et c'est pourquoi je le garde. Si les choses se gâtent, il vaut peut-être mieux que ce soit moi qui l'aie sur moi. Naturellement, je peux me tromper !

Elle lui glissa un coup d'œil de côté.

— Ainsi, ce que vous en faites, c'est pour moi ?

— En partie.

— Vous avez tort. Il serait bien mieux de le jeter par la fenêtre !

— C'est possible, mais je n'en suis pas sûr. On pourrait en conclure que nous avions compris l'importance du message et ce qu'il signifiait. Non, croyez-moi, cet étui, il vaut mieux le garder !

— Vous n'avez pas l'impression que vous prenez de gros risques ?

— Je l'ignore. Nous sommes absolument dans le noir et il ne se passera peut-être rien du tout. Mais je n'en crois pas moins que vous avez besoin qu'on vienne en aide, miss Dillaway !

— J'ai fait appel à vous ?

— Non.

Les joues de miss Dillaway se colorèrent un peu et elle se tint un peu plus droite sur la banquette. D'une voix aux intonations étranges, elle dit :

— J'imagine, monsieur Gates, que ce n'est pas par... amitié pour moi que vous faites ça ? Vous me connaissez à peine !

La question le surprit par ce qu'elle avait de direct et sa réponse ne l'étonna pas moins. Il avait voulu parler d'un ton insouciant et ce fut avec gravité qu'il dit :

— Je vous connais depuis cette nuit.

Tournant la tête et regardant par la vitre, elle répliqua :

— Parce que vous m'avez vu avec mes cheveux défaits ?

— Qui sait ?

Vivement, elle répliqua :

— N'essayez pas d'être galant, Gates! Vous savez très bien que, cette question, je ne l'aurais pas posée si j'avais pu croire que vous alliez la prendre au sérieux ! Nous sommes en pleine folie !

— Je ne comprends pas.

— Je suis ici pour travailler et je ne veux pas qu'on m'ennuie.

— C'est pour cela que vous vous déguisez ?

Elle eut un petit haut-le-corps.

— Je ne me déguise pas. Je veux être jugée sur ce que je suis et non sur ce dont j'ai l'air. Parce que vous m'avez vu en kimono vert... Avouez, Gates, que c'est idiot !

— Vous croyez ? Je ne vois pas pourquoi.

— Je vais vous le dire. Vous êtes romanesque, Gates ! Vous êtes un de ces types dont la race est éteinte, une sorte de chevalier errant. Un déshabillé vert et ces gars-là prennent feu ! Ils ne se soucient guère de ce qui est à l'intérieur du déshabillé ! Ce qui les exalte, c'est l'idée !

— Erreur ! dit simplement Gates.

Les yeux de miss Dillaway étincelèrent.

— Jamais de la vie ! Une dame en robe de chambre, il ne leur en faut pas plus ! Je regrette, Gates, de vous avoir remis cet étui à cigarettes et vous me feriez plaisir en me le rendant. J'en prendrai soin aussi bien que vous. Après tout, je ne sais même pas qui vous êtes et je ne tiens pas à être votre obligée !

— Je ne vous en demande pas tant !

— Vous ne vous en rendez pas compte, mais je suis bien sûre que si !

Calvin Gates se leva.

— Je le garderai quand même, que cela vous plaise ou non ! Vous êtes, miss Dillaway, un drôle de corps. Il y a des moments où vous m'êtes très sympathique et d'autres où vous me faites horreur !

Je suis peut-être romanesque, mais, moi, la vie ne
me fait pas peur !

Elle sourit.

— Personne ne m'a jamais dit ça ! Vous croyez
que j'ai peur de la vie ?

— Vous ? Vous la fuyez !

— Je ne vous comprends pas !

— Ça n'a pas la moindre importance.

Le wagon-salon était une réplique fort exacte de
celui dans lequel ils avaient voyagé la veille. Calvin
Gates regardait défiler le paysage. Il était assez
mécontent de ce qu'il avait dit à miss Dillaway et
ses yeux se promenaient sans plaisir sur un décor
qui ne se renouvelait pas, un pays plat où, sous un
ciel bas et jaunâtre, il ne cessait de voir les mêmes
paysans vêtus de bleu et les mêmes petits villages
aux maisons faites de boue séchée.

Il était là depuis près d'une heure quand miss Dillaway vint occuper le fauteuil voisin du sien.

— Alors, Gates, dit-elle, toujours fâché ?

— Non.

— Tant mieux !... Parce que la solitude ne me va
pas dans ce pays-ci ! J'ai l'impression qu'on me
surveille.

— Qui ?

Miss Dillaway secoua la tête.

— Personne en particulier. Le chef de train, les
« boys », tout le monde... Je préfère être avec vous.

— C'est gentil de votre part.

Elle plissa le front.

— Je regrette, Gates, d'avoir été désagréable. Il
faut croire que c'est ma nature. Que voulez-vous,
on est comme on est !

— Hélas !

— Si je pouvais changer, je n'hésiterais pas !

— Moi non plus.

— L'ennui, c'est que nous ne changeons que

lorsque les événements nous y contraignent. Pensez-vous, Gates, qu'ils finiront par nous changer, vous et moi ?

Calvin Gates sourit.

— Espérons, en tout cas, que ce ne sera pas en pis !

Riant, elle lui tendit la main.

— Vous n'êtes pas tellement méchant ! Faisons la paix et allons prendre quelque chose au wagon-restaurant. Je vous joue les verres !

— Non. J'entends payer.

— Je ne me conduis pas comme une dame, je le sais, mais je vous ai dit que nous ne changions pas et je maintiens que je vous jouerai les consommations !

Malgré ses affirmations, miss Dillaway avait changé : elle ne lui dissimulait plus sa personnalité véritable et ne lui donnait plus une comédie, dont Calvin pensait qu'elle devait lui coûter un certain effort. Il s'en félicitait, heureux que, poussée par une secrète intuition, elle lui eût, sans le connaître, accordé son amitié. Sans doute, il savait bien comment cela finirait et peut-être eût-il été mieux qu'il lui dît sans attendre, puisque maintenant ils étaient amis, quelque chose de lui-même. Le geste eût été correct, mais il hésitait à le faire.

— Je sais, Gates, reprit-elle, que je suis très désagréable en voyage... Quand je suis ennuyée, j'ai un caractère odieux et je dis des choses que je regrette ensuite. Généralement, dans ces longues randonnées, je meurs de peur et je ne veux pas le laisser voir. Grâce à vous, cette fois-ci, c'est beaucoup mieux et je fais un excellent voyage.

— Moi aussi, miss Dillaway, et je vous le dois.

— Vous pouvez m'appeler Dillaway, tout court. J'ai un prénom, Sylvia, mais je ne l'aime pas et tous mes amis m'appellent Dillaway. Je vous préviens, d'ailleurs, que je suis parfaitement capable

de vous exaspérer avant que nous ne soyons arrivés
à Peiping et que vous aurez sans doute eu, d'ici là,
plusieurs fois envie de m'étrangler. Ce pauvre Boris
l'aurait fait avec plaisir quand nous avons passé la
douane.

Après quelques secondes de silence, elle ajouta :

— Vous ne voulez toujours pas me dire ce qui lui
est arrivé ou, plutôt, comment il a...

Il ne la laissa pas aller au bout de sa question.
Puisqu'il fallait qu'elle sût, ce qui après tout était
peut-être préférable, mieux valait lui présenter la
chose le plus rapidement et le plus objectivement
possible. Parlant très vite, il dit :

— Il est venu dans ma chambre pour me demander de lui remettre cet étui à cigarettes qu'il vous
avait donné. Il a été abattu d'un coup de feu tandis
qu'il me parlait. Un homme est entré et, du balcon,
a tiré sur lui. Là-dessus, M. Moto est arrivé, qui a
pris toute l'affaire en main.

— Le petit Japonais ?

— Oui. Ce Russe, vous le connaissiez ?

— Non. J'avais demandé un guide à l'hôtel et
c'est lui qu'on m'a donné.

— Vous ne pensez pas qu'il avait une mission ?

— Si. Dans le train, il avait peur, certainement.
J'imagine qu'il devait porter un message...

— Cet étui.

— Mais un message concernant quoi ?

— Je l'ignore. Mais je pense qu'il avait dû dire
à quelqu'un qu'il vous avait remis l'objet...

Les deux mains posées sur ses genoux, Calvin
Gates poursuivit :

— J'ai passé la plus grande partie de ma nuit à
réfléchir à tout ça. Si nous admettons qu'il s'agit
bien d'un message, il est probable que la communication est extrêmement importante. Sinon, on
n'aurait pas tué le courrier. Ce message est vraisemblablement destiné à quelqu'un qui se trouve dans

la région où nous nous rendons nous-mêmes et
celui qui l'a envoyé tient à ce qu'il arrive.

— Tout cela me paraît évident.

— Le reste l'est moins. M. Moto veut qu'il arrive,
lui aussi. En fait, il me l'a à peu près dit.

Miss Dillaway fronça le front.

— Je ne comprends pas. S'il en est ainsi, pourquoi Boris a-t-il été tué ?

Calvin Gates haussa légèrement les épaules,
cependant que ses doigts tambourinaient nerveuse-
ment sur le drap de son pantalon.

— J'ai cru comprendre qu'il s'agissait d'une
erreur et la chose n'a pas eu l'air de plaire à
M. Moto. Il préfère le travail fait sans éclat. C'est
du moins ce qu'il m'a dit.

Miss Dillaway dévisagea longuement son compagnon.

— Il vous a raconté un tas de choses !

Calvin Gates soutint le regard de la jeune femme.

— C'est exact.

— Mais pourquoi ? Vous n'êtes pas franc avec
moi, Gates !

Les doigts de Calvin se crispèrent sur ses genoux.
Le moment qu'il redoutait était venu. Dans un
instant, elle aurait découvert qu'il n'était pas un
monsieur propre, un gentleman avec lequel on peut
faire amitié. Il s'apercevait avec surprise qu'il tenait
à la sympathie de la jeune femme et qu'il eût voulu
qu'elle gardât bonne opinion de lui. Ce qui était
demander l'impossible, car elle était honnête, déses-
pérément honnête.

— Parce qu'il me tient, dit-il lentement, comme
si chaque mot lui faisait mal à prononcer. Il a pensé
qu'il lui serait possible de se servir de moi comme
messager, mais je crois qu'hier soir je l'ai bien eu.
Cet étui à cigarettes, maintenant, il ne sait plus qui
le détient.

Elle le regardait, stupéfaite. Exactement comme il l'avait craint.

— Mais, ce petit Japonais, comment pourrait-il vous tenir ? C'est impossible !

Calvin eut un sourire amer. D'une voix qu'il voulait indifférente, mais dont l'enjouement sonnait faux, il répondit :

— Autant vous dire, miss Dillaway, que je suis un personnage recherché par la police et que je fuis la justice de mon pays.

Interdite, elle ouvrait des yeux immenses. Il poursuivit, anxieux d'en finir :

— J'ai découvert hier soir que M. Moto n'ignorait rien de moi. C'est un agent japonais. Ils pullulent par ici et les autorités ne leur refusent rien. Il m'a menacé de me dénoncer et de me livrer si je disais quoi que ce fût sur ce qui s'est passé hier soir et si je ne vous laissais pas... convoyer l'étui à cigarettes. Il est très fort, mais peut-être l'ai-je été plus que lui, puisque, cet étui, maintenant vous ne l'avez plus !

Il remarqua que les mains de miss Dillaway s'ouvraient et se refermaient rapidement.

— Il est rare que je me trompe sur le compte des gens, dit-elle à voix basse. Quand je vous ai vu, je me suis tout de suite dit que vous étiez ennuyé. Qu'est-ce qu'on vous reproche, Gates ?

— D'avoir imité une signature sur un chèque.

Malgré elle, elle avait eu un petit sursaut.

— Pour une femme, bien entendu ?

Il tourna la tête et regarda par la fenêtre. Le train filait par un pays plat qui, avec ses champs qui n'en finissaient pas et ses villages, tous entourés du même haut mur de boue séchée, semblait appartenir à un âge disparu, comme si l'horloge du temps avait été ramenée de mille ans en arrière.

— Pas exactement, répondit-il. Il s'agissait d'une cousine à moi pour laquelle je n'ai jamais eu beau-

coup de sympathie, mais c'est un point secondaire.
Il reste que je suis un faussaire et que je suis lessi-
vé. Il est peut-être mieux que vous le sachiez. Les
faussaires sont gens dont il faut se méfier. Serrez
précieusement votre carnet de chèques, miss Dillaway !

Il se renversa dans son fauteuil, regardant droit
devant lui, gêné par le silence de la jeune femme,
ce silence qui était pire que des mots. Il attendait
qu'elle parlât et se raidissait pour entendre ce qu'elle
allait dire.

— Alors, dit-elle enfin, ce verre, vous êtes décidé
à me le jouer ou non ?

Sous son hâle, il rougit.

— Voulez-vous dire que vous avez encore l'intention de me parler ? Vous savez, Dillaway, que cette
histoire n'a rien d'une plaisanterie ?

Miss Dillaway ne répondit pas directement à sa
question.

— Regardez si vous avez de la monnaie ! Pour
un faussaire, vous n'avez pas la main très sûre !

Il tira de sa poche une pièce de monnaie japonaise, percée d'un trou.

— L'embêtant, dit-il, c'est que ces pièces n'ont ni
ni pile, ni face !

Miss Dillaway se mit à rire.

— Elles sont à l'image du Japon, répondit-elle.
Avec les Japonais, on ne sait jamais où on en est !
Ne bougez pas ! Je dois avoir là-dedans une pièce
américaine...

Elle ouvrit son sac à main. Le train ralentissait
pour s'arrêter dans une gare construite à l'européenne. Au delà des bâtiments en brique jaune, on
apercevait la ville, avec ses rues dans lesquelles
circulaient des voitures attelées de petits chevaux
et des ânes chargés de fagots. Sur le quai, des
soldats japonais montaient la garde, leurs baïon-
nettes étincelant sous le soleil. La foule chinoise

semblait ignorer leur présence. Un petit marchand courait le long des wagons, annonçant d'une voix plaintive et monocorde son thé, son riz et ses spaghetti.

— La ville a l'air d'être importante, dit Gates.

— Et sale !

Miss Dillaway avait trouvé la pièce qu'elle cherchait.

— Alors, Gates, que choisissez-vous ? Pile ou face ?

— Face !

Miss Dillaway plaqua la pièce sur le dos de sa main.

— Vous avez perdu, Gates ! C'est pile. Mais qu'est-ce qui se passe ?

La porte arrière du wagon-salon s'était ouverte, livrant passage à un jeune officier japonais que suivaient deux soldats en armes, baïonnette au canon. L'officier, qui n'avait guère plus de vingt ans, tenait une feuille de papier à la main. Il aperçut Calvin Gates, se reporta à son document, le consultant avec attention, puis de nouveau porta les yeux sur Gates. Très calme, l'Américain soutenait son regard. Pour miss Dillaway, il dit :

— J'ai bien peur que M. Moto n'ait deviné que c'est moi qui ai cet étui à cigarettes.

Miss Dillaway avança la main.

— Alors, passez-le-moi !

Calvin Gates ne fit pas un mouvement et ses yeux restèrent fixés sur ceux de l'officier.

— Trop tard ! Je crois bien, miss Dillaway, que c'est ici que nous nous disons adieu. Vous avez été très gentille avec moi... Beaucoup trop même !

L'officier s'était approché.

— Bonsoir, monsieur ! dit-il en anglais. Voudriez-vous venir avec moi ?

Il s'exprimait correctement, articulant toutes les syllabes et ne mettant l'accent sur aucune, comme quelqu'un qui a appris la langue dans un livre et sans professeur. Calvin sourit.

— Où ?

L'officier ne lui rendit pas son sourire. Les difficultés de la syntaxe anglaise lui donnaient de la tablature. Il reprit, laborieusement :

— Quittez votre siège, monsieur, je vous prie, et descendez du train avec moi !

Calvin Gates se leva.

— Allons-y ! Au revoir, miss Dillaway !

Elle s'était levée, elle aussi.

— Si vous descendez du train, Gates, je descends avec vous !

Il répliqua d'un ton ferme :

— Je vous le défends bien ! Cette histoire-là ne concerne que moi et votre geste n'arrangerait rien. Continuez votre voyage et, si là-bas vous voyez le docteur Gilbreth, dites-lui de ma part que, le chèque en question, c'est moi qui l'ai signé.

Elle l'avait empoigné par le bras.

— Mais, Gates, qu'est-ce qu'ils vont vous faire ?

Il répondit, un peu sèchement :

— Quelle importance ?

Elle s'affolait.

— Mais ils ne parlent même pas anglais !

— Qu'est-ce que ça peut faire ? Au revoir, miss Dillaway !

Il se dirigea vers la porte du wagon, marchant à côté du petit officier jaune, qu'il dominait de la tête, et suivi des deux soldats.

— Gates !

Elle avait lancé son nom dans un cri. Il ne répondit pas et ne parut même pas avoir entendu.

## 9

— Par ici ! dit l'officier.

Sur le quai, les paysans chinois s'écartaient vivement pour laisser passer le petit groupe. Derrière
son guide, Calvin pénétra dans le bâtiment de la
gare. On le fit entrer dans une pièce nue, sur les
murs de laquelle tant de gens s'étaient appuyés
qu'on distinguait mal, sous la crasse, le jaune de
leur couleur originale. Quelques soldats, assis sur
un banc, regardèrent l'Américain à son arrivée,
puis cessèrent de s'intéresser à lui.

— Asseyez-vous, je vous prie ! reprit l'officier.

Calvin Gates obéit. A l'autre bout de la pièce, un
petit homme en uniforme, dont les yeux clignaient
sans arrêt derrière de grosses lunettes aux verres
bombés, interrogeait d'une voix hargneuse et pointue
un solide paysan chinois, qui n'avait pour tout
vêtement qu'un pantalon et des sandales. Un soldat
japonais, qui ne lui venait pas à l'épaule, se tenait
à côté du Chinois. Calvin ne comprenait rien à ce
qui se disait, mais le sens de la scène ne lui échappait pas. L'officier japonais accusait, le paysan
chinois niait. Le lieutenant qui avait amené Calvin
s'assit près de lui et dit :

— Ce ne sera pas long !

L'officier criait maintenant et le soldat japonais
qui gardait « l'accusé » se haussa sur la pointe des
pieds pour administrer au gigantesque Chinois un
coup de poing en pleine face.

— Un vilain homme, murmura le petit lieutenant pour le bénéfice de Calvin. Un bandit...

Par la fenêtre ouverte, Calvin apercevait le train qui attendait. Il se demanda pourquoi il ne repartait pas. Au bout d'un instant, ne sachant que faire, il s'adossa au mur et tira de sa poche un prospectus destiné aux touristes qu'il avait ramassé, à l'hôtel, sur une table du hall. Il demanda :

— Je peux lire ?

Le lieutenant avait jeté un coup d'œil sur la brochure.

— Certainement, dit-il, certainement !

L'auteur de la notice l'avait rédigée en anglais, mais le texte prouvait qu'il n'avait de la langue qu'une connaissance imparfaite :

### L'INCIDENT MANDCHOU ET LES « CASERNES DU NORD »

*Le 18 septembre 1931, à 10 heures 30 du matin, l'incident mandchou éclatait à la suite d'une explosion, provoquée par les troupes régulières chinoises, sur la ligne de chemin de fer, à Liutiso-Kou, entre les stations de Moukden et de Wen-Kuan-Tun.*

*Après l'explosion les soldats chinois s'enfuirent en direction des « Casernes du Nord », mais ils furent surpris par une patrouille japonaise appartenant aux troupes chargées d'assurer la protection du chemin de fer de la Mandchourie du Sud et commandée par le lieutenant Kawamoto. Des coups de feu furent échangés, les Japonais se lançant ensuite à la poursuite des saboteurs chinois.*

*Peu après, des forces chinoises, représentant l'effectif de trois compagnies, surgissaient des bois avoisinant les « Casernes du Nord ». Courageux à*

l'extrême, les Japonais leur opposèrent une résis-
tance désespérée, cependant qu'une estafette était
envoyée au commandant. Les troupes japonaises se
trouvèrent alors contraintes de lancer une attaque
d'envergure contre les « Casernes du Nord », où
était stationnée la brigade du major-général Wang-
Icho. Après plusieurs heures de combat, les casernes
tombèrent entièrement aux mains des Japonais.

Cependant, au cours de la nuit, opérant en liaison
avec les forces affectées à la garde du chemin de fer,
le régiment japonais de Moukden engageait le
combat pour occuper la partie fortifiée de la ville,
les casernes de l'Est, l'aérodrome, etc. Renforcé
par d'autres régiments stationnés à Liao-Yang et
à Haï-Tchang, il atteignait ses objectifs le lendemain après-midi, à 2 heures.

Les « Casernes du Nord » peuvent être visitées
par le public. De la gare de Moukden (South Man-
churian Railway), on s'y rend en vingt minutes en
automobile.

Le texte, si banal qu'il fût, révélait quelque chose
de l'âme japonaise. Les Nippons savaient ce qu'ils
voulaient et croyaient à leur mission. Cet incident,
vieux de quelques années déjà, il s'était bien souvent
répété depuis et, tous ses éléments caractéristiques,
Calvin Gates les trouvait rassemblés sous ses yeux,
avec ce Japonais minuscule qui, le poussant dans
les reins à coups de crosse, faisait sortir de la
pièce ce géant chinois, dont la résignation avait pour
l'Américain quelque chose d'incompréhensible. Le
jeune lieutenant se pencha vers Calvin.

— Il sera fusillé. Levez-vous, s'il vous plaît !
L'officier va vous voir.

Ce disant, il donnait à Calvin une petite tape sur
l'avant-bras. Cette petite tape, Calvin la trouva fort
désagréable : il commençait à savoir que l'Oriental
a plus qu'un autre le sentiment de sa dignité person-

nelle et qu'en Orient il convient d'accorder à la
« face » une toute particulière importance. A haute
voix et sur un ton très sec, il dit :

— Ne me touchez pas !

Le lieutenant ne broncha pas, mais il avait compris. L'officier qui se trouvait derrière la table
s'était levé et, de sa voix pointue, disait quelques
mots en japonais. Le petit lieutenant s'inclina
devant Calvin et dit, en anglais :

— Pardonnez-moi, je vous prie !

Calvin, sans en être surpris, fut très soulagé de
constater dès ses premiers mots que l'officier auquel
il allait avoir affaire parlait anglais.

— Excusez-le ! disait l'homme aux énormes
lunettes. Vous êtes, je pense, monsieur Gates. Je
suis le colonel commandant la région. J'ai reçu un
télégramme vous concernant.

Le colonel s'adressa ensuite en japonais au
lieutenant, qui salua et donna un ordre. Trente
secondes plus tard, Calvin Gates et le colonel se
trouvaient seuls dans la pièce.

— Ce télégramme, reprit l'officier, m'a été envoyé
par un gentleman qui vous connaît, un personnage
très important avec lequel je me trouve, sur le plan
politique, en parfaite communion d'idées. Il s'appelle M. Moto.

— Vous ne m'étonnez pas, dit Calvin. Il s'agit
probablement d'un étui à cigarettes ?

Il ne doutait pas de la réponse : M. Moto avait
tout deviné avant son départ de Moukden. Il se
rappela la petite remarque polie qu'il lui avait faite
à propos des chaussures mises devant la porte.

— C'est exact, répondit le colonel. M. Moto me
prie de m'assurer que vous êtes toujours bien pos-
sesseur d'un étui à cigarettes sur lequel il y a de
petits oiseaux.

— Vous le voulez, colonel ?

— Je suis désolé de vous importuner, mais j'ai besoin de le voir.

Calvin esquissa un geste de la main vers la poche intérieure de son veston. Le colonel l'arrêta.

— Faites attention ! On pourrait vous voir par la fenêtre ! Venez dans ce coin.

Calvin obéit. L'officier s'inclina très bas quand il lui remit l'étui. Après quoi, il examina l'objet avec soin, l'ouvrit, le ferma, puis le rendit à l'Américain.

— Je vous remercie infiniment, monsieur Gates. Maintenant, vous pouvez le reprendre.

— Comment ? Vous voulez me le rendre ? Pourquoi ? Je n'en ai pas besoin !

Avant de répondre, le colonel sourit à Gates, comme s'ils partageaient tous les deux quelque secret qu'il valait mieux ne pas exprimer.

— Il est certain, dit-il ensuite, que vous devez le garder. Ce sont les ordres de M. Moto, qui désirait seulement avoir l'assurance que tout allait bien. Je suis persuadé que vous comprenez.

— Que je comprends quoi ?

Le colonel sourit de nouveau.

— M. Moto vous a expliqué, je n'en doute pas. C'est pour moi un grand honneur que de rencontrer un de ses amis et j'espère que vous ne refuserez pas de prendre le thé avec moi. Les instructions que j'ai à vous donner ne vous retiendront pas longtemps.

L'Américain avait l'impression que ses pensées dansaient la sarabande sous sa boîte cranienne. D'instinct, pourtant, il jugea plus sage de ne pas avoir l'air de s'étonner. Deux militaires entraient, apportant un fauteuil et le thé annoncé. Calvin assis et sa tasse en main, le colonel parla de nouveau.

— M. Moto, dit-il, est un homme très remarquable.

— Très remarquable, répéta Calvin.

— Il n'oublie rien.

— C'est bien mon avis. Il n'oublie jamais.

— C'est pourquoi vous devez m'écouter avec attention, car c'est en son nom que je vous parle.

Baissant la voix, le colonel poursuivit :

— Le télégramme était très long. M. Moto tient à ce que vous sachiez que d'autres savent que vous avez l'étui à cigarettes. Je pense que vous comprenez ?

— Ah ? Il y en a d'autres qui savent ?

— Oui.

Le colonel avala une gorgée de thé et reprit :

— Evidemment, c'est dommage ! M. Moto craint qu'ils n'essaient de s'en emparer et vous demande d'être très prudent. Vous ne devez pas vous laisser voler l'objet. Vous ne devez pas vous en dessaisir avant d'être arrivé à Kalgan, où il vous sera demandé par un homme qui s'appelle M. Holtz. M. Moto tient essentiellement à ce qu'il parvienne à M. Holtz.

— C'est tout ?

— Non. Il y a encore une chose. M. Moto m'a bien recommandé de vous dire que les autres ont compris que vous êtes de ses amis et que c'est dangereux.

Le colonel finit son thé. Le soleil jouait sur le verre de ses lunettes. Posant sa tasse, il ajouta :

— M. Moto est désolé que la chose soit pour vous si dangereuse. Etes-vous armé, monsieur Gates ?

L'Américain secoua la tête. Le colonel ouvrit le tiroir de sa table pour y prendre un pistolet automatique.

— Vous le voyez, dit-il, M. Moto pense à tout ! Cette arme, j'espère que vous n'aurez pas à vous en servir, mais vous ferez bien d'accepter aussi ce petit paquet de cartouches. M. Moto n'oublie rien.

Calvin Gates, l'automatique dans la paume, hésitait. Finalement, il glissa l'arme dans sa poche.

— Tout de même, colonel, dit-il ensuite, cet étui à cigarettes, si je vous le laissais ? Je ne tiens pas à le garder !

— M. Moto a prévu le cas, répondit l'officier. Il ne vous servirait à rien de vous débarrasser de l'objet. Les autres savent que vous l'avez et, qu'il soit sur vous ou non, ils essaieront de vous le prendre. M. Moto désire que vous le conserviez. Il ne voit pas de meilleur moyen de le faire parvenir à destination.

— Mais si je refuse ? Toute cette histoire-là ne me regarde pas !

— Je vous en prie !

Le colonel avait l'air sincèrement navré. Il continua :

— Vous êtes déjà très compromis, monsieur Gates. Je ne voudrais pas vous menacer, mais on reste quelquefois très longtemps à la prison militaire.

— Ainsi, c'est comme ça ?

— C'est comme ça. Je crois que, maintenant, vous pourriez regagner votre train. Il vous attend.

Calvin Gates eut un sourire désenchanté. Il commençait à comprendre. M. Moto conduisait tout. Une chose en amenait une autre, les événements s'enchaînaient et aucun d'eux ne surprenait M. Moto : il les attendait... et il en allait ainsi depuis leur première rencontre sur le bateau. Calvin Gates se faisait l'effet d'un barbare à l'esprit grossier qui s'efforce de pénétrer des mystères qui passent sa compréhension.

— Mais, demanda-t-il, pourquoi M. Moto veut-il que je garde cet étui à cigarettes ?

Le colonel, un peu interdit par la brutalité de la question, médita sa réponse pendant un instant, tout en frottant ses verres avec un coin de son mouchoir. Les ayant remis sur son nez, il dit, les yeux fixés sur Calvin :

— Je ne vois rien à expliquer ! M. Moto désire qu'un objet soit remis à celui qui doit le recevoir, cela sans que personne ne s'en doute, et il est convaincu que c'est une chose que vous pouvez faire.

Il se tut, souriant, comme s'il avait vraiment tout expliqué. Calvin Gates se leva brusquement.

— Il se trompe ! Je refuse !

Le colonel s'était mis debout, lui aussi.

— Vous commettez une grosse erreur, monsieur Gates ! Excusez-moi !

Elevant la voix, il cria quelque chose en japonais. Cet ordre, on devait l'attendre, car la porte s'ouvrit presque aussitôt. Calvin Gates entendit parler, en anglais, le jeune lieutenant qui l'avait amené.

— Entrez, je vous prie ! disait-il.

Miss Dillaway parut sur le seuil. Elle tenait la tête haute et ses yeux brillaient de colère.

— Allô, Gates ! s'écria-t-elle. Qu'est-ce qu'ils vous ont fait ? Ce militaire ne voulait pas me laisser entrer !

Le colonel ne laissa pas à l'Américain le temps de répondre.

— J'en suis navré, madame. Je pense qu'il vous faudra rester avec nous.

— Et pourquoi ça ? lança Calvin. Elle n'a rien à voir dans cette histoire-là !

— Je suis désolé, reprit le colonel, mais, si vous ne changez pas d'avis, madame doit rester ici, elle aussi.

— Mais enfin, demanda la jeune femme, de quoi parle-t-il ?

Calvin haussa les épaules.

— Entendu ! dit-il. Puisque c'est comme ça, je le garde !

Le colonel salua du buste.

— Je vous remercie. C'est tellement mieux ainsi !

— Vous n'avez rien d'autre à me dire ?

— Non, monsieur Gates. Je vous ai tout dit.

L'Américain serra sans enthousiasme la main que l'officier lui tendait et quitta la pièce avec miss Dillaway.

— Qu'est-ce que ces gens-là vous voulaient ? lui demanda-t-elle dès qu'ils furent sur le quai. Dans quel guêpier nous sommes-nous fourrés ?

Calvin Gates sourit d'un sourire un peu amer. A quoi bon raconter à miss Dillaway cette scène qui aviverait encore ses inquiétudes ? Pourquoi l'alarmer ? Il répondit :

— Des difficultés avec mon passeport. Un tas de questions !

Elle eut un petit rire bref.

— Vous ne vous imaginez pas que je serais partie sans vous ? Je m'étais mise en route pour vous délivrer. Je suis contente de savoir qu'il s'agissait seulement de votre passeport. Je craignais autre chose. Dites-vous bien, Gates, que, s'il se passe quoi que ce soit, je vous empêcherai de jouer les héros !

Son sourire s'évanouit quand elle leva les yeux vers lui : il semblait grave et soucieux.

— J'espère de tout mon cœur que vous y parviendrez ! dit-il.

## 10

Le soleil déclinant mettait des traînées de pourpre à l'horizon. Le train parcourait un pays plat et monotone et, dans la lumière indécise du soir, les murs des villages prenaient des apparences mystérieuses et fantastiques. Calvin Gates consulta la carte : on approchait de la vieille cité de Shan-Haï-Kuan, près de la première enceinte de cette Grande Muraille de Chine dont il avait tant entendu parler et dont il savait si peu de chose.

Miss Dillaway regardait par la vitre et Calvin, qui la voyait de profil, ne pouvait s'empêcher de songer qu'il est des cas où l'expression « profil de médaille » a vraiment un sens.

— Je suis née à Winnetka, dans l'Illinois, dit-elle soudain, comme pensant tout haut. J'ai suivi les cours de l'Université de Chicago, puis je suis entrée à l'école des Beaux-Arts. Après quoi, j'ai fait de l'art pour gagner ma vie. Les travaux qui demandent du soin me vont assez bien. Vous n'avez jamais eu besoin de gagner votre vie, n'est-ce pas, Gates ?

— Comment l'avez-vous deviné ?

— Je vous ai regardé. Ce sont des choses qui se voient. Vous vous seriez sans doute épargné bien des ennuis si vous aviez eu à gagner votre beefsteak. Ça vous rapproche des faits !

— Il va falloir que je m'y mette !

Elle se pencha en avant, d'un mouvement spontané, et lui posa la main sur le genou.

— Voyons, Gates, qu'est-ce qui ne va pas pour vous aux Etats-Unis ? Si vous me le disiez ?

— Si ça ne vous fait rien, j'aimerais mieux pas !

A quoi bon lui expliquer ? Est-ce que, dans un jour ou deux, il ne serait pas sorti pour toujours de la vie de miss Sylvia Dillaway ?

— Comme vous voudrez ! dit-elle. Mais, si on ne parle pas, passez-moi donc mon matériel, qui est dans le filet !

Elle ouvrit sa boîte à peinture sur la banquette d'en face et entreprit d'y mettre de l'ordre. Elle ne s'occupait pas plus de lui que s'il n'avait pas existé. Elle l'oubliait. Elle lui avait demandé de lui faire confiance et de lui conter son histoire, mais il ne regrettait pas d'avoir préféré se taire. Mieux valait laisser le passé et vivre dans le présent, lequel était suffisamment extraordinaire pour qu'on lui prêtât une attention particulière.

Calvin Gates regarda par la vitre. Ce paysage ne lui rappelait rien. C'était normal : depuis quelques jours, il allait dans un monde où rien ne parlait à ses souvenirs, un monde inconnu, où l'on usait d'un langage qu'il ne comprenait pas et où les événements l'emportaient sans qu'il pût deviner, même vaguement, où ils le menaient. Machinalement, il mit la main dans la poche de son veston. L'automatique était toujours là. Pourquoi on le lui avait donné, il n'en avait pas la moindre idée. Mais il n'était pas fâché de l'avoir accepté.

De temps en temps, des gens passaient dans le couloir : les « boys » qui assuraient le service dans le train, des employés, parfois aussi des officiers japonais. Un « boy » entra dans le compartiment, s'immobilisa et dit en anglais, comme s'il récitait une leçon apprise par cœur, mais dont le sens lui échappait peut-être :

— S'il vous plaît, madame, monsieur, vous descendez du train à Shan-Haï-Kuan pour prendre l'autre train, wagons-lits. Les bagages vont à la douane. Merci, s'il vous plaît !

La nuit était venue et il était plus de neuf heures du soir quand le train atteignit Shan-Haï-Kuan. Sur le quai de la gare, une foule s'agitait, parmi laquelle circulaient des porteurs, des employés, de petits marchands. On entendait le murmure confus de mille conversations, des rires et le bruit de la locomotive lâchant sa vapeur. Calvin Gates jeta un coup d'œil à travers la vitre enfumée.

— On dirait que tous ces gens sont devenus fous !

Comme le train s'arrêtait, il aperçut un Blanc, qui jouait des coudes pour approcher du train. Il le revit, un instant plus tard, arrêté à la porte du compartiment. L'homme portait un trench-coat, tout semblable à celui de Calvin, et son visage coloré était celui de quelqu'un qui a l'habitude de vivre à l'extérieur. Il repoussa son feutre en arrière et, d'une voix métallique, s'écria :

— Allô ! Est-ce que vous ne seriez pas miss Dillaway ?

La jeune femme ne parvint pas à dissimuler complètement sa surprise.

— Je ne peux le nier, répondit-elle. Mais comment savez-vous mon nom ?

Souriant, le nouveau venu tirait une lettre de sa poche.

— Bravo ! bravo ! dit-il. Alors, vous êtes la petite dame qui fait de la peinture ? Parfait ! Voici une lettre du docteur Gilbreth, qui vous expliquera qui je suis. Vous la lirez quand vous aurez le temps. Je m'appelle Hamby. Le capitaine Sam Hamby. J'ai fait la guerre aux Dardanelles. Il y a longtemps de ça. Profession : soldat de métier, actuellement avec la cavalerie du prince de Ghuru Nor. Je venais de là-bas pour affaires et Gilbreth m'a prié de vous cueillir au passage, pensant que je pourrais vous faciliter les choses. La Mongolie est en plein chambardement.

Il ne faut pas que ça vous effraie : en Chine, tout est toujours sens dessus dessous !

Miss Dillaway parcourut rapidement la lettre du docteur Gilbreth et sourit au capitaine.

— C'est très gentil à vous, capitaine, d'avoir bien voulu vous charger de moi et je n'essaierai pas de vous faire croire que, dans ce pays où tout est nouveau pour nous, nous n'avons pas besoin d'aide, M. Gates et moi. Je vous présente M. Gates, M. Calvin Gates, de New-York, qui se rend là-bas avec moi.

Les deux rides profondes qui encadraient la bouche du capitaine Hamby se creusèrent un peu plus, en une manière de sourire. Ses yeux, cependant, restaient immobiles et glacés.

— Curieux que Gilbreth ne m'ait pas parlé de ça ! dit-il. Il n'était question que de miss Dillaway.

Il y avait dans son visage quelque chose qui déplaisait à Calvin Gates, encore qu'il eût été bien en peine de préciser quoi. L'étonnement, pourtant très naturel, du capitaine éveillait en lui une sorte de ressentiment : il en voulait à Hamby d'être venu lui arracher miss Dillaway, ce qui l'amena, presque aussitôt, à en vouloir à la jeune femme de paraître plus à l'aise et comme rassurée depuis l'entrée du nouveau venu dans le compartiment.

— Le docteur Gilbreth ne sait pas que j'arrive, dit-il, mais je suis une vieille connaissance à lui. Je puis vous le garantir. Je viens spécialement de New-York pour le voir.

Hamby sourit plus largement.

— Parfait, parfait ! Tous les amis de Gilbreth sont mes amis. Un type formidable, le docteur ! Plus on est de fous, plus on rit, Gates ! Remettez-vous-en à moi !

Son visage changea brusquement d'expression : la mine extrêmement contrariée, il explorait les poches de son trench-coat.

— Zut ! s'écria-t-il. Ça, c'est fichtrement embêtant ! Je n'ai pas une cigarette sur moi et je meurs d'envie de fumer ! L'un de vous deux peut-il me dépanner ?

La question était très ordinaire, mais le regard des yeux gris clair de Hamby était loin d'être ordinaire. Dans le court moment d'hésitation qui suivit, Calvin vit que miss Dillaway l'observait.

— Est-ce que vous n'avez pas des cigarettes, Gates ?

Calvin tira un paquet de sa poche et le tendit à Hamby.

— Merci ! dit le capitaine. Vous me sauvez la vie ! Carrément idiot de ma part de m'embarquer sans cigarettes ! Maintenant, je m'occupe de tout et, croyez-moi, je connais le pays ! Les « boys » se chargeront de vos bagages et nous serons sortis de la douane avant que vous n'ayez eu le temps de compter jusqu'à cinquante. Dans le train chinois, je retiendrai trois compartiments. Ça colle ? Moins confortable qu'un authentique wagon-lit, mais possible. Vous verrez ! Faites-moi confiance !

D'un geste du bras, il montra l'arrière du train et, accompagnant ses paroles de grimaces expressives, il reprit :

— Par là, dans le Mandchoukuo, tout est terriblement sérieux ! Ça ne rigole pas ! Mais, de l'autre côté, tout est drôle, suprêmement drôle ! La Chine est un pays rigolo, j'en parle savamment, car il y a pas mal de temps que j'y suis. Seulement, il ne faut pas oublier d'y garder le sourire ! Souriez, souriez, souriez !

La voix, nasale, et la prononciation, plutôt bizarre, intriguaient Calvin, mais il commençait à comprendre que le capitaine Hamby s'était assimilé jusqu'à leur ressembler aux indigènes de ce pays dans lequel ils allaient entrer. Il avait trop vécu en Chine pour n'être pas devenu un peu Chinois. Miss Dillaway, elle, avait poussé l'analyse plus loin.

— Vous êtes Australien, n'est-ce pas, capitaine ? demanda-t-elle.

— Miss Dillaway, répondit-il, vous avez gagné ! Vous devez avoir pas mal roulé pour avoir trouvé ça tout de suite ? Oui, je suis un de ces « Aussies » qui déplacent tant d'air ! Un peu le même genre que les Américains, si je ne m'abuse. Nous ferions aussi bien de quitter le train maintenant. Vous me laissez la conduite des opérations ?

Baissant la glace, il se penchait au dehors et jetait des ordres à d'invisibles serviteurs en un étonnant mélange d'anglais et de chinois.

— Les « boys » arrivent, dit-il ensuite. Ils s'occuperont de vos affaires. Nous n'avons qu'à passer dans l'autre train et à attendre. Je vous conduis.

Deux minutes plus tard, précédant quatre porteurs qui pliaient sous le poids de leurs bagages, ils étaient sur le quai, avec le capitaine Hamby. L'homme était bruyant, jovial, un peu exubérant, mais on ne pouvait rêver guide plus sûr et plus averti.

— L'important avec les Chinois, reprit-il, c'est le sourire. Par là, le drame et les visages sévères. Par ici, l'opéra-comique et le sourire !

Avec lui, les difficutés s'aplanissaient. Quelques phrases rapides lui suffirent pour en terminer avec les employés de la douane et Calvin n'avait pas encore bien compris ce qu'avaient été les formalités qu'ils étaient déjà, tous les trois, dans le train de Peiping. Les bagages les avaient devancés. Hamby tira un mouchoir de sa poche et s'épongea le front.

— Et voilà ! s'écria-t-il. Tout a marché comme sur des roulettes, hein ? Miss Dillaway prendra ce compartiment-ci, vous, Gates, celui d'à côté et, moi, le suivant ! Nous pourrons laisser la porte de communication ouverte entre le vôtre et le mien. Là-dessus, qu'est-ce que vous penseriez de boire quelque chose ? En Chine, si vous savez ce qui est bon pour votre santé, vous voyagez toujours avec un peu de whisky ! Je vais faire signe au « boy » !

Tandis qu'ils sortait du compartiment pour se mettre en quête de « boys » qu'il appelait d'une voix tonnante, miss Dillaway se tourna vers Calvin Gates et dit :

— Vous ne trouvez pas qu'il est magnifique ?

— Il nous a bien rendu service !

La remarque de miss Dillaway avait réveillé en lui ce sentiment de jalousie qu'il avait découvert peu auparavant. Miss Dillaway fit la moue.

— Il nous a rendu service et, s'il n'avait pas été là, vous auriez eu du mal à vous débrouiller sans lui ! Ne soyez pas snob, Gates !

Il protesta.

— Je ne suis pas snob. Je me demande seulement pourquoi il voulait une cigarette...

— Parce qu'il avait envie de fumer, tiens !

— Peut-être... Mais peut-être aussi pour une autre raison.

Hamby revint avant que miss Dillaway eût eu le temps de répliquer. Il tenait à la main une bouteille de whisky anglais et était suivi d'un « boy », porteur d'un plateau sur lequel il y avait des verres et de l'eau de Seltz.

— Quand on sait où s'adresser, dit-il, on obtient ce qu'on veut ! Un peu d'eau de Seltz, miss Dillaway ? Pour moi, je le préfère pur. Chin-chin !

— Chin-chin !

Ils burent, assis sur une malle, posant ensuite leur verre sur la table volante qui se trouvait devant eux. Le compartiment-couchette, malgré ses panneaux de bois verni, manquait de luxe, mais apparaissait d'une suffisante propreté. Une ampoule électrique peu puissante laissait tomber du plafond une lumière jaunâtre. La porte donnait sur le couloir. Hamby la ferma et baissa le rideau, pour mettre un terme aux curiosités des voyageurs qui s'attardaient pour les dévisager.

— Vous finirez par vous y habituer, dit-il. Quand des Blancs voyagent par ici, les Chinois se croient au cirque ! Ils se figurent que nous avons les genoux à l'envers et que nous mangeons les yeux des petits enfants. Il ne faut pas que ça nous empêche de sourire ! En Chine, c'est l'essentiel ! Ailleurs aussi, du reste. Pourquoi s'en faire ? Il n'y a rien qui en vaille la peine !

— N'y a-t-il pas des troubles dans la région d'où vous venez ? demanda Gates.

Le capitaine éclata de rire et empoigna la bouteille de whisky.

— On raconte toujours un tas de choses sur ce qui se passe en Chine !

— Mais encore ?

Hamby alluma une cigarette que Calvin venait de lui offrir et répondit :

— Vous découvrirez bientôt qu'en Chine, des troubles, il y en a tout le temps ! Ce sont des seigneurs qui guerroient au fond des provinces, c'est une armée plus ou moins en déroute qui fait les quatre cents coups, ou ce sont les Japonais. Pour le moment, il s'agirait plutôt des Japonais, qui ont l'air de vouloir mettre quelque chose en train. Du côté où nous allons, la grosse difficulté, c'est de franchir la Muraille.

— Quelle Muraille ? demanda Gates.

Les yeux de Hamby se posèrent dans ceux de Calvin.

— Pas besoin de dire, Gates, que vous êtes nouveau dans le pays ! Je parle de la vraie Muraille de Chine, qui a été construite bien avant Jésus-Christ. Elle est à peu près en ruines aujourd'hui, mais il y a tout de même, près de Kalgan, une porte passablement difficile à passer en ce moment et c'est pourquoi Gilbreth m'a envoyé à la rencontre de miss Dillaway.

— Je vois, dit Gates. Les difficultés viennent des Japonais ?

Le capitaine vida son verre.

— On ne peut rien affirmer.

Baissant la voix, il poursuivit :

— On dirait qu'ils ont encore envie de quelque chose. Il leur a d'abord fallu la Mandchourie. Ensuite, ils ont voulu étendre leur influence jusqu'à Peiping. Aujourd'hui, ils ont l'air d'en avoir à toute la Chine du Nord. On ne peut rien affirmer ; seulement, je connais assez le pays pour savoir que tout peut se déclencher d'un jour à l'autre. Mais, je réponds à votre question de tout à l'heure, dans la région d'où je viens, tout est calme. Je ne sais pas si je me fais bien comprendre ?

Il tira son chapeau et sa physionomie en parut toute changée. Ses cheveux, très bruns et très drus, grisonnaient sur les tempes, mais il était difficile de lui assigner un âge : il n'était ni jeune, ni vieux, et les rides qui marquaient son front ou se creusaient autour des yeux ne signifiaient rien. Les années ne sont pas seules à pouvoir les provoquer.

— Je suis navré, reprit-il. Je m'exprime si souvent en chinois, en russe et en mongol qu'il m'arrive de ne plus être très clair quand je parle anglais. Je viens de Ghuru Nor, où je commande la cavalerie du prince. En chinois, il s'appelle le prince Wu-Fang. C'est un type dans le mouvement et pas un mauvais cheval. Moi, je suis un soldat de fortune et il faut que je gagne ma vie. J'ai servi sous des généraux chrétiens, j'ai été dans l'armée du vieux maréchal, dans celle du jeune maréchal, je ne vois pas pourquoi je ne commanderais pas la cavalerie du prince. Encore un petit coup de whisky ?

Le train se mettait en marche. Hamby se versa à boire. Qui il était, il l'avait parfaitement expliqué.

Son visage tanné, ses larges épaules et ses mains
musclées venaient à l'appui de ses dires. Miss
Dillaway le contemplait avec un respect presque
gênant.

— Vous devez avoir vu bien des choses ? dit-elle.

— S'il vous plaît ?

Il regardait dans le vague et la question de la
jeune femme l'avait rappelé à la réalité.

— Oui, répondit-il, j'ai vu bien des choses et ça
me fait plaisir de revoir une jolie fille parlant
anglais. Nous nous entendrons bien, miss Dillaway,
vous verrez ! Je suis ici pour vous conduire à Ghuru
Nor aussi vite que possible. Nous ne perdrons pas
de temps, car la route de Kalgan pourrait bien être
coupée un de ces quatre matins ! Après Kalgan, le
vieux Holtz nous prendra en charge.

— Je suis heureuse de vous entendre parler
comme ça ! dit miss Dillaway.

Le capitaine, guettant des yeux les réactions de
la jeune femme, poursuivit :

— Gilbreth se tourmentait beaucoup à propos de
vous. Le prince, qui l'a reçu chez lui et qui est un
homme extrêmement cultivé, a été très intéressé
par ses travaux et, comme je venais par ici pour
acheter des armes, il m'a prié de m'occuper de
vous en même temps. Le camp de Gilbreth n'est pas
à plus de vingt milles du palais. Il est en train de
creuser une colline. Un drôle de truc, entre nous
soit dit !

— Il y a un palais ? demanda miss Dillaway. Un
vrai palais ?

— Vous verrez ça ! Quelque chose de magnifique. Des colonnades superbes et des lamas en robe
de toutes les couleurs dans tous les coins ! Pour un
peintre, il y a de quoi faire ! Un vrai palais, comme
au temps de Gengis Khan...

Après quelques secondes de silence, il reprit :

— Vous ne me croiriez pas, je trouverais ça tout

naturel ! Mais, quand vous verrez les antilopes, les chameaux, les serviteurs noirs avec leurs souliers pointus, les pavillons flottant sur les bâtiments et tout le reste, je vous garantis que vous vous demanderez si vous n'êtes pas en train de rêver. Tout ça n'a guère changé depuis Marco Polo, si l'on ne tient pas compte de la radio et des canons.

— Le prince a besoin de canons ? demanda Calvin.

Hamby ne put s'empêcher de rire.

— On voit, dit-il, que vous n'êtes pas très au courant de la situation en Asie ! Ghuru Nor est devenu quelque chose de très important. La Mongolie est composée de principautés, toutes gouvernées par un prince qui est un petit monarque indépendant. Autrefois, ils allaient une fois l'an à Pékin, pour y déjeuner à la table de l'empereur de Chine. Ghuru Nor est traversé par la vieille route des caravanes vers la Mongolie extérieure et la Russie et les collines qui l'entourent sont autant de points stratégiques. En cas de guerre, le Japon et la Russie seront également soucieux de les occuper. Je vous montrerai ça sur la carte, vous comprendrez ! Encore que les cartes, en Mongolie, ne vaillent pas grand'chose...

— Comme dans toutes les contrées peu connues, dit miss Dillaway. J'ai appris à me méfier des cartes en Perse, en Mésopotamie et en Afrique centrale. Est-ce que le typhus est à redouter là-bas ?

— Quelquefois.

— Comment est l'eau ? Il y a de la dysenterie ?

— L'eau n'est pas trop mauvaise. Les gens s'en servent trop peu pour la souiller.

Miss Dillaway se leva.

— C'est toujours ça ! dit-elle. Sur quoi, je vais me coucher. Nous nous reverrons demain matin, capitaine.

Hamby salua.

— Dès que je vous ai aperçue, miss Dillaway, j'ai compris que je n'aurais pas grand'chose à vous apprendre et que vous étiez quelqu'un de très bien, qui serait tout de suite à la page !

— Vous êtes gentil, capitaine. J'espère que je ne vous causerai pas trop de soucis !

La jeune femme partie, Hamby se rassit et se versa un nouveau verre de whisky.

— Une fille épatante ! dit-il, résumant ses impressions en trois mots.

Calvin Gates approuva du chef.

— Aucun doute. Elle est charmante.

— Ce n'est pas exactement ce que je voulais dire ! fit observer le capitaine. Elle est très jolie, ce qui est bien, mais surtout, et c'est encore mieux, elle n'a pas d'idées stupides dans la cervelle et elle sait ce qu'elle fait !

Ayant dit, il vida son verre, se leva, passa dans son compartiment et revint presque aussitôt, en manches de chemise.

— A quoi bon s'en faire ? demanda-t-il. Ça ne vaut jamais le coup ! On boit le dernier ?

— Si vous voulez !

Hamby montra du pouce l'arrière du train et dit :

— Par là, tout va bien ?

— Par là, où ?

— En Mandchourie, expliqua le capitaine. Les Japonais ont été corrects ? Pas d'ennuis avec eux ?

Plus bas, il ajout. :

— Vous n'avez rien de particulier à me dire ?

Calvin Gates enfonça ses mains dans ses poches.

— Non. Qu'est-ce que je pourrais avoir à vous dire ?

Hamby dévisageait Gates avec attention.

— Est-ce que je sais ? Les Japonais sont tellement tâtillons, ces temps-ci ! A Ghuru Nor, on ne voit qu'eux ! Ils sont aussi nombreux que les mouches. De drôles de petits bonshommes! Et nerveux, avec ça!

— C'est exact. Nerveux, ils le sont!

De nouveau, le capitaine fit de la main un geste vers l'arrière du train.

— Alors, par là, vraiment, tout va bien?

— C'est mon impression.

— Alors, c'est parfait! déclara Hamby. J'ai idée, Gates, que vous êtes de ces gens qui savent veiller sur leur propre sécurité. Permettez-moi, malgré ça, de vous conseiller de bien fermer la porte du couloir. Nous laisserons ouverte celle qui fait communiquer nos deux compartiments. Vous êtes sûr que vous n'avez rien à me dire?

Ils se regardèrent en silence. Hamby souriait.

— Non, dit enfin Calvin. Je dois toutefois vous remercier pour le whisky...

— Alors, c'est parfait! Bonne nuit, Gates! Fermez bien la porte!

— Bonne nuit, capitaine!

Resté seul, Calvin Gates s'aperçut qu'il était aussi fatigué qu'un nageur qui vient de lutter contre les vagues pendant plusieurs heures. Sa lassitude n'était pas seulement physique. Elle venait d'une confuse inquiétude, due à M. Moto pour une part, à Hamby pour l'autre. Le capitaine, c'était évident, n'était pas là pour miss Dillaway seule. L'homme était fait pour des tâches plus importantes, et cette question qu'il avait par deux fois posée à la fin de la conversation le prouvait bien.

Ce qu'il y avait de bizarre, c'était que Hamby ne fût point sympathique à Calvin, encore qu'il représentât tout ce que Calvin aurait voulu être. Soldat de métier, marqué par la profession, il avait couru le monde et, par amour du risque et du changement, vécu une vie pleine d'aventures et de dangers. Leurs routes se rencontraient-elles? Calvin se le demandait.

Calvin Gates ferma la porte du couloir, dont le
petit verrou de cuivre apparaissait comme une
défense dérisoire contre quelqu'un bien résolu à
entrer dans le compartiment. Il jeta un coup d'œil
vers la porte qui le séparait de Hamby et, rassuré,
tirant l'étui à cigarettes de la poche intérieure de
son veston, s'assit pour l'examiner de près.

Autant qu'il lui semblait, l'objet n'avait rien
d'extraordinaire et il l'avait vu, reproduit à des
dizaines d'exemplaires, à la vitrine des joailliers
de Tokio. Le travail était délicat, fort joli même,
mais assez banal pour un pays où les ouvriers d'art
sont innombrables et mal payés. Sur les deux faces
de l'étui, des incrustations d'acier noir avaient été
forcées dans l'argent pour composer une sorte de
tableau, classique aussi bien au Japon qu'en Chine.
On y voyait, dans un paysage figuré par quelques
lignes heureuses, des oiseaux, certains voletant,
d'autres perchés ou courant sur le gazon. Se souve-
nant que M. Moto s'était intéressé à leur nombre,
Calvin les compta : il y en avait six, trois en l'air,
deux perchés et un sur le sol.

Il remit l'étui dans sa poche et s'occupa de l'arme
qui lui avait été donnée par le colonel japonais.
C'était un automatique de 38, de fabrication américaine. Il enleva le chargeur et constata qu'il était
plein. L'objet était évidemment de ceux qu'il est
dangereux d'avoir sur soi quand on voyage en terre
étrangère. Il retira son veston, le roula avec soin
et le posa sur sa couchette, sous son traversin. Il
éteignit la lumière et s'allongea. Sur la petite table,
les verres s'entre-choquaient doucement. Ce fut le
dernier bruit qu'il entendit avant de s'endormir.

Le premier aussi dont il eut conscience quand il
s'éveilla. Convaincu que ce n'était pas ce tintement
à peine perceptible qui l'avait tiré du sommeil, il
tendit l'oreille, puis, sans bruit, se laissa glisser à
bas de sa couchette. Dans le couloir, quelqu'un

s'efforçait de repousser de l'extérieur le verrou de la porte. Calvin pensa à son automatique et esquissa un geste vers son veston. Il ne l'acheva pas : le bruit d'une détonation risquait de donner l'alarme et de provoquer on ne pouvait deviner quelles complications. Il attendit. La porte à glissière s'écarta lentement et il entrevit, se découpant sur la faible lumière du couloir, une silhouette large et massive, qui, après un instant d'immobilité, avança d'un pas. Calvin s'aplatit contre la cloison, laissa passer l'inconnu, qui se dirigeait vers la couchette, puis, se jetant sur lui, l'attaqua par derrière. L'homme trébucha et tomba sur la table, entraînant avec lui l'Américain, qui, presque aussitôt, se sentit saisi par le collet. Quelqu'un avait donné la lumière et il reconnut, frappant ses oreilles, la voix de Hamby, qui disait :

— Du calme ! Du calme !

Calvin, tiré en arrière, se mit debout. Ses tempes bourdonnaient et il avait l'impression d'être étourdi. Autour de lui, tout paraissait confus et trouble. Il distingua enfin une forme, affalée, la tête sur sa couchette. Par l'épaule, quelqu'un le secouait. C'était Hamby.

— Du calme, Gates ! répétait le capitaine. Tout cela est clair comme de l'eau de roche !

## 11

D'une voix qui sonnait étrangement à ses oreilles
et qui lui semblait appartenir à un autre, Calvin
Gates parla.

— J'ai dû recevoir un coup sur la tête.

— Ne vous inquiétez pas ! répondit Hamby. Ça
ira mieux dans un instant.

— Quelqu'un est entré ici...

— Je le sais d'autant mieux que je l'ai assommé
au moment où vous lui sautiez dessus. Tout va
bien !

Le brouillard dans lequel Calvin Gates avait eu
l'impression d'être plongé se dissipait. Il commençait à y voir clair. Il y avait bien là, écroulé
sur le plancher, la tête sur la couchette, un solide
gaillard, tout de noir vêtu. Le masque était d'une
brute, horrible et remarquablement inintelligent. Les
lèvres et les yeux étaient entr'ouverts et, brusquement, cet homme, Calvin Gates le reconnut : c'était
celui qui s'était introduit dans sa chambre d'hôtel
à Moukden. Le capitaine Hamby, qui tenait à la
main une petite cravache très courte qui ressemblait
à un casse-tête, le regardait. Il était en manches de
chemise. Calvin Gates se retourna : la porte du
compartiment était fermée.

Le capitaine sourit et dit, d'une voix enjouée :

— Fourrez vos soucis dans un vieux sac, Gates,
et perdez le sac ! C'est le moyen d'être heureux.
Sourions, c'est le mot d'ordre !

— Vous dites que vous l'avez assommé ? demanda Calvin.

— Plutôt ! répondit le capitaine, montrant sa cravache. Il y a là-dedans trois livres de plomb. Ça aide ! Joli paroissien, hein ? Un *ronin*.

— Un quoi ?

— Un *ronin*, l'équivalent du « tueur » américain. Il a une sale gueule.

— Il est mort ?

— Pas tout à fait. J'ai cogné sec, mais pas trop. Ça ne l'empêche pas d'avoir une sale tête.

Hamby posa sa cravache sur la couchette et se frotta les mains.

— Ouvrez la fenêtre ! dit-il.

— Pourquoi ?

Un sourire tordit la bouche de Hamby.

— Parce que je ne veux pas d'histoires. Vous me saisissez ?

— Mais vous ne pouvez pas faire ça !

Le capitaine cessa de sourire.

— Ne dites pas de sottises, Gates ! Pourquoi il est entré ici, vous le savez ! C'était lui ou vous. Vous n'avez peut-être pas remarqué ça ?

Les yeux de Gates suivirent la direction de son regard, porté sur le plancher : il aperçut un pistolet automatique, pourvu d'un long « silencieux ».

— Comme vous le constatez, reprit Hamby, c'était vous ou lui. Quand on fait l'imbécile, il arrive qu'on paie. Ouvrez la fenêtre et prenez-le par la tête ! Je m'occupe des pieds.

Calvin obéit. Il avait la bouche sèche et ses mains tremblaient.

— Aussi longtemps qu'il vous reste une allumette pour votre pipe, dit Hamby, gardez le sourire ! Souriez, c'est la consigne ! Allons-y, Gates !

Le Japonais jeté sur le ballast, Hamby ferma la fenêtre et se frotta les mains.

— Et voilà ! s'écria-t-il. L'affaire est liquidée. Vous vous sentez bien, Gates ?

— Un peu mieux.

— Parfait ! Vous avez d'ailleurs gentiment manœuvré. Tout de même, un conseil : n'essayez pas de lutter avec eux, frappez-les sur la tête !

Après un silence, Hamby ajouta :

— Vous n'avez toujours rien à me dire ?

C'était moins une question qu'une invitation à parler et Calvin Gates ne savait que répondre. Quelque reconnaissance qu'il dût au capitaine, il n'arrivait pas à le trouver sympathique. Il se rendait trop bien compte que, s'il avait eu pour cela quelque raison, Hamby l'eût fait passer par la fenêtre, lui aussi, sans l'ombre d'une hésitation. Il mit son veston et, les mains dans les poches, se tourna vers Hamby.

— Capitaine, je voudrais vous poser une question. Qu'est-ce que vous venez faire dans cette histoire ?

Hamby jouait avec sa cravache.

— Enfin, vous vous décidez à parler raisonnablement ! Nous sommes des Blancs et, dans ce pays-ci, les Blancs doivent se tenir les coudes. Vous vous demandez qui je suis ? Bon. Je ne vois pas d'inconvénient à vous apprendre que j'étais venu ici à la rencontre d'un Russe, prénommé Boris, qui servait de guide à une jeune femme nommée miss Dillaway. Boris devait me faire un petit cadeau personnel, sous la forme d'un étui à cigarettes en argent. Savez-vous, Gates, ce que Boris est devenu ?

— Il est mort.

— Je m'en doutais, reprit Hamby, et j'imagine que ce sont les Japs qui l'ont mis en l'air. Vous allez peut-être trouver ma question indiscrète, Gates, mais, cet étui à cigarettes, vous ne l'auriez pas, par hasard ? Et ne serait-ce pas à cause de lui que vous avez eu un visiteur cette nuit ?

Calvin répondit d'un signe de tête affirmatif.

— Bien ! déclara le capitaine. Donc, vous avez les Japonais sur le dos. Nous sommes, vous et moi, dans la même galère et je crois que nous ferions bien de parler un peu.

S'asseyant sur la couchette et caressant sa cravache d'une main distraite, il poursuivit :

— Les Chinois, Gates, m'ont enseigné la tolérance. Ce sont des gens très civilisés et qui comprennent tout. J'ai horreur de m'occuper de ce qui ne me regarde pas. Cependant, maintenant que j'ai répondu à votre question, j'aimerais vous en poser une à mon tour. Qu'est-ce que vous venez faire, vous, dans cette histoire ?

La demande, étant donné les circonstances, n'avait rien que de très naturel, mais elle était faite sur un ton qui déplaisait à Calvin Gates. Il y avait, chez Hamby, une assurance qui le hérissait. Une sorte d'instinct, cependant, lui conseillait de se montrer prudent : Hamby ne se servirait de lui et ne tolérerait sa présence, il en avait la conviction, qu'aussi longtemps qu'il lui serait utile. En même temps, il découvrait brusquement que, contrairement à ce qu'il avait cru jusqu'alors, ce n'étaient pas les événements seuls qui l'avaient jeté dans l'aventure qu'il vivait. Il se l'avouait pour la première fois, si terrible qu'elle fût, cette vérité ne lui était pas désagréable, même en ce moment, malgré le coup qu'il avait reçu sur la nuque.

— Puisque vous voulez le savoir, dit-il enfin, je vais vous le dire. Seulement, ça sera long !

— Tant mieux ! Asseyez-vous et parlons en copains !

Calvin s'installa près de Hamby. Il gardait ses deux mains dans les poches de son veston.

— Voici ! dit-il. Ce Russe qui était sur le bateau avec miss Dillaway, je ne le connaissais pas, pas

plus que je ne la connaissais, elle. Là-dessus est
arrivé un Japonais, un certain M. Moto, qui...

Il s'interrompit. Il lui semblait qu'une lueur avait,
une seconde, illuminé les prunelles du capitaine.
Il demanda :

— Vous le connaissez ?

— Je connais tout le monde, répondit Hamby.
Boris l'a vu, hein ? Continuez !

Calvin reprit son récit. Il n'oubliait rien et ne
cachait rien, taisant toutefois ce qui concernait
l'automatique qu'il avait en poche. Hamby, sa
cravache sur les genoux, écoutait sans mot dire.
On eût juré que l'histoire lui semblait la plus banale
du monde.

— Conclusion, dit le capitaine quand Calvin eut
terminé, il ne faut jamais s'en faire ! J'appelle ça
du beau travail. L'étui à cigarettes, vous l'avez
toujours ?

— Oui.

— Parfait ! Vous pouvez me le remettre.

C'était plus qu'une requête et presque un ordre.
Il n'y avait pas à s'y tromper et le regard de Hamby
était lourd de menaces. Calvin sentit un frisson lui
parcourir l'échine. Il se rendait parfaitement compte
que, s'il se dessaisissait de l'étui à cigarettes, il
ne parviendrait jamais à Ghuru Nor. L'objet était
pour lui un passeport, mais aussi longtemps seulement qu'il resterait dans sa poche.

— Pas maintenant ! dit-il.

Le capitaine coula vers lui un regard ironique.

— Pourquoi, Gates ?

— Parce que votre tête ne me revient pas et que
je ne veux pas aller finir sur la voie, moi aussi !
L'étui, vous l'aurez, mais seulement si j'arrive en
bonne santé à Ghuru Nor !

— Etes-vous sûr...

Hamby, qui avait fait un mouvement, n'acheva
pas sa phrase et s'immobilisa net : Calvin Gates

avait tiré son automatique de sa poche et le braquait sur lui. Hamby, les sourcils haut levés, considérait l'arme avec sang-froid.

— Aussi longtemps qu'il vous reste une allumette pour votre pipe, dit-il d'un ton très calme, gardez le sourire ! Souriez, c'est la consigne ! Il n'y a vraiment pas de raison, Gates, pour que vous vous montriez si nerveux. Pas une, vraiment !... Ghuru Nor, je vous y conduis d'une façon ou de l'autre ! Remettez-moi cet étui. Je suis mieux à même que vous de le garder. Ce n'est pas de la blague !

— Je vous le donnerai quand nous serons là-bas.

Hamby haussa les épaules.

— On dirait, Gates, que vous n'avez pas confiance en moi !

— Je vous ferai confiance aussi longtemps que j'aurai cet étui en poche.

Hamby se força à sourire.

— Très bien ! N'en parlons plus ! On ne s'en veut pas ?

— On ne s'en veut pas.

— Parfait ! D'ici Ghuru Nor, n'oubliez pas de faire ce que je vous dirai : il faut que nous voyagions vite !

— Je ne demande que ça !

— Parfait !

— Vous ne voyez rien d'autre à me dire ?

— Non, il ne me semble pas.

— Alors, dit Gates, peut-être ne verrez-vous pas d'inconvénient à rentrer chez vous ? Vous m'excuserez, mais j'ai l'intention de fermer la porte et de mettre le verrou.

Le capitaine se leva. Calvin Gates l'imita.

— Je ne vois pas, fit remarquer Hamby, pourquoi vous vous faites tant de bile et pourquoi vous êtes si nerveux ! Soyez tranquille, Gates, je prendrai soin de vous !

— Je n'en doute pas.

— Vous verrez que, lorsque nous nous comprendrons mutuellement, nous nous entendrons on ne peut mieux ! On se serre la main ?

Il tendait sa droite, dans un geste d'une franchise que démentait peut-être la contraction involontaire qui déformait sa bouche sur un côté. Calvin Gates empocha son automatique et prit la main tendue. Hamby sourit.

— Sans rancune, hein ? dit-il. Nous sommes assez forts pour prendre les choses comme elles viennent ?

— C'est bien mon avis.

Les deux hommes se quittèrent là-dessus.

## 12

Le lendemain matin, à huit heures et demie, miss Dillaway frappait à la porte du compartiment de Calvin Gates. Elle entra. Elle semblait d'excellente humeur. Le soleil, déjà chaud, brillait dans un ciel parfaitement bleu. Le train filait dans un paysage verdoyant. De l'autre côté de la cloison, le capitaine Hamby chantonnait :

*Aussi longtemps qu'il vous reste une allumette*
*Pour allumer votre pipe,*
*Souriez, les gars, souriez, souriez !*

Miss Dillaway regarda Calvin et fronça le sourcil.

— Vous n'avez pas l'air content de me voir, Gates ? Qu'est-ce qui ne va pas ?

— C'est ce refrain ! répondit Calvin. Souriez, souriez, souriez ! Il commence à me taper sur les nerfs !

— Pourquoi ne prenez-vous pas modèle sur le capitaine ? Il l'a, lui, le sourire !

Calvin ne répondit pas tout de suite. Tout le côté gauche de sa tête lui faisait mal et la réflexion de la jeune femme n'arrangeait pas les choses. Il sentait renaître en lui cette jalousie qu'il avait éprouvée hier, peu après l'arrivée de Hamby.

— Mon seul regret, dit-il, c'est que nous ayons rencontré ce type-là !

— Vous dites des bêtises, Gates ! Pourquoi êtes-vous si désagréable pour le capitaine Hamby ?

— Qu'est-ce que vous lui trouvez de si épatant ?
C'est parce qu'il chante qu'il vous plaît ?

— Je ne vous ai pas dit qu'il me plaisait particu-
lièrement.

— Alors, pourquoi êtes-vous si gentille avec lui ?

— Mon Dieu ! Gates, pourquoi ne nous montre-
rions-nous pas aimables avec lui ? Il nous rend
service...

On frappait à la porte du compartiment. Peu
après, très rouge, la peau luisante et rasé de frais,
le capitaine Hamby faisait son apparition.

— J'espère, dit-il, que je ne vous dérange pas ?
Je vous ai entendu parler. Nous serons à Peiping
d'ici une heure. Dommage que nous soyons obligés
de filer, mais, avec un peu de chance, nous devrions
attraper le train qui monte vers le nord.

Miss Dillaway ne cachait pas son désappointe-
ment.

— Nous ne nous arrêtons pas à Peiping ?

Le capitaine sourit à la jeune femme.

— C'est regrettable, mais la sagesse nous commande de ne pas nous attarder. N'oublions pas,
miss Dillaway, que j'ai mission de vous conduire
dans le nord.

Elle lui rendit son sourire.

— Je suis à vos ordres. J'aurais pourtant bien
voulu voir Peiping !

— Ce sera pour une autre fois. Il ne faut pas se
tracasser pour si peu. Personne n'a envie de son
petit déjeuner ?

— J'ai déjà pris le mien, répondit miss Dillaway.

— Moi pas ! répliqua Hamby. Venez, Gates !
Vous vous sentirez mieux après une tasse de café !

Calvin se laissa entraîner jusqu'au wagon-restaurant. Hamby inspecta l'endroit d'un coup d'œil,
choisit une table et s'assit.

— Evidemment, dit-il en dépliant sa serviette, il
est bien dommage que nous soyons forcés de ne

pas perdre une minute ! Inutile, Gates, de parler à
miss Dillaway de ce qui s'est passé cette nuit !...
Inutile aussi de vous montrer si nerveux ! Pourquoi ? Je vous assure, Gates, que vous vous trompez
sur mon compte.

— Pardonnez-moi !

— Moi, voyez-vous, reprit Hamby, je ne demande
qu'à m'entendre avec tout le monde ! Hier soir, j'ai
peut-être été un peu vif. Que voulez-vous ? Nous
avons, tous, notre caractère ! J'ai été un peu vif...
Mais, à la réflexion, je me suis aperçu que c'est
vous qui aviez raison. Car, enfin, nous sommes
collègues. C'est bien votre avis ? Conclusion, j'abats
mes cartes et je les étale. Cartes sur table, c'est
ma devise !

Souriant, il alluma une cigarette, qu'il conserva
au coin de la lèvre tandis qu'il poursuivait :

— Ici, Gates, il faut se remuer beaucoup pour
se défendre. J'ai, dans le secteur, une certaine
réputation et bien des gens vous diront que, lorsqu'ils ont un travail délicat à faire, c'est à Sam
Hamby qu'ils pensent tout de suite. Cet étui à
cigarettes, si nous parvenons à le faire arriver dans
les mains qui doivent le recevoir, vous n'aurez pas
perdu votre temps ! Ça vous rapportera exactement
trois mille dollars or. Et pas des dollars mexicains !
C'est pourquoi je veux que vous soyez avec nous.

Pensif, Calvin Gates regardait son couvert.

— Trois mille dollars, dit-il, c'est de l'argent !

— Ce sera votre part, précisa Hamby. Il faut que
vous soyez avec nous !

Il aspira une longue bouffée de tabac, puis, légèrement penché au-dessus de la table, les yeux
presque mi-clos, il reprit :

— Dans un pays comme celui-ci, tel qu'il est
actuellement, Gates, tout est possible ! On me dirait
qu'un éléphant rose est en promenade dans la
région, je ne tournerais seulement pas la tête. Je

dirais : « C'est la Chine ! » et je trouverais ça tout
naturel. Pour un type qui a du cran, c'est le para-
dis ! Ici, tout le monde travaille : les trafiquants
d'opium, les contrebandiers d'armes, les maîtres-
chanteurs, les bandits, les espions, tout le monde !
Les profits possibles passent tout ce qu'on peut
imaginer.

— Je commence à le croire.

— Bravo !

Calvin Gates ne comprenait pas très bien où Hamby
voulait en venir, mais il lui accordait toute son
attention.

— Les faits, poursuivit le capitaine, voilà ce qui
compte et j'ai l'impression que, vous et moi, nous
en sommes convaincus. Nous avons ici la Chine, là
la Russie et, tout là-bas, le Japon. Bon ! Le Japon
est loin d'en avoir fini avec la Chine. Il a commencé,
il faut qu'il continue. Son gouvernement veut être
le maître en Chine et il est prêt à faire quelque
chose. Ce qui l'oblige à attendre, vous le savez aussi
bien que moi.

— C'est la Russie ?

— Vous l'avez dit ! La Russie n'est pas d'accord.
Seulement, ce que vous ne savez pas, c'est que la
Russie, maintenant, a une armée. Que le Japon
mette quelque chose en route et la Russie entre dans
le coup. Et où ? Ne cherchez pas, Gates, je vais vous
le dire ! En Mongolie. Les premières positions
qu'elle occupera, tenez-vous bien, ce sont les collines
de Ghuru Nor. Je ne plaisante pas, Gates. Ses
plans sont prêts !

— Comment le savez-vous ?

Calvin Gates posait la question pour dire quelque
chose. Il était sûr que les informations de Hamby
avaient été puisées à bonne source.

— Je ne vois pas pourquoi je ne vous le dirais
pas, répondit le capitaine. Ghuru Nor n'est qu'à une
journée de marche de la Mongolie extérieure, autre-

ment dit de la Russie. Les collines de Ghuru Nor
occupées, la Russie a la route libre jusqu'à Kalgan.
Les Russes sont sûrs de leur coup, car ils ont
acheté le prince, qui les laissera faire. Tout le problème est d'arriver avant les Japonais. Vous voyez
la situation ? Deux divisions russes sont à vingt-
quatre heures de leurs positions. Elles attendent le
renseignement qui leur donnera le départ. C'est ici
que nous entrons en scène.

— Comment cela ?

— Il n'y a plus de raison que je ne vous le dise
pas. C'est le service de contre-espionnage russe qui
envoie ce message à Ghuru Nor. On dirait qu'il a
marqué un point sur les Japs. Se méfiant des textes
en code, qui se déchiffrent tous, les Russes ont
employé un autre système. Les Japs ont eu Boris.
Mais, par chance, vous étiez là pour prendre la
suite. Vous ne voyez rien à me dire ?

Calvin Gates resta un moment silencieux : ce que
représentait l'étui à cigarettes, il le savait maintenant de façon certaine.

— Cet étui, demanda-t-il, si vous l'aviez entre
les mains, sauriez-vous lire le message ?

Hamby répondit très franchement :

— Non, mais, à Kalgan, ceux qui l'attendent
sauront le faire.

Avec une apparente cordialité qui contrastait avec
la sévérité étrange de son regard, il ajouta :

— Ce qui me surprend, c'est que vous ne me
demandiez pas ce que M. Moto vient faire dans
l'aventure. Parlez-moi de lui, Gates ! Dites-moi ce
qu'il veut ! J'ai besoin de le savoir.

— L'ennui, c'est que je ne le sais pas plus que
vous.

Une flamme peu rassurante, mais qui s'éteignit
tout de suite, passa dans les yeux du capitaine. Il
se versa une nouvelle tasse de café, tout en fredonnant ce souriant refrain qui semblait l'obséder.

— Sourions, Gates ! reprit-il. Après mes confidences, votre réponse me déçoit un peu. Vous vous doutez bien que je sais que ce nabot est un des plus ignobles agents secrets qui travaillent pour le Japon. Je l'ai vu à Nankin, je l'ai retrouvé à Shanghaï, ailleurs encore, et toujours, après son passage, il est arrivé quelque chose : troubles, guerre, etc. Vraiment, Gates, vous ne voulez pas me parler de Moto ?

Il y avait dans le ton une expression moqueuse, dont Calvin comprenait mal la signification.

— Je ne sais de lui que ce que je vous ai dit. Toutes ces histoires ne me concernent pas. Je vais à Ghuru Nor pour y rejoindre la mission Gilbreth.

— Mon Dieu ! mon Dieu ! s'écria Hamby. Vous ne voyez donc pas, Gates, que je vous offre une porte de sortie, que je vous fais une proposition ?

— J'avoue que non.

Calvin était sincère. Il ne comprenait rien au jeu du capitaine. Hamby s'en rendit compte et sa voix s'adoucit.

— Je constate, Gates, qu'il faut que je m'explique plus clairement. Nous sommes des Blancs, vous et moi, et nous cherchons, l'un et l'autre, à défendre nos petits intérêts personnels. Quand je vous ai vu, à Shan-Haï-Kuan, avec votre air de ne rien savoir, vous m'avez dérouté et je n'ai commencé à deviner que lorsque vous m'avez parlé de M. Moto. Après, j'ai vu votre automatique. Les touristes, Gates, ne sont pas armés...

Frappant de l'index sur la table pour donner plus de poids à ses paroles, il poursuivit :

— Cet étui, c'est Moto qui vous l'a remis et c'est pour son compte que vous le transportez. Il est temps d'en finir, Gates ! Que veut Moto ? Les Japs ont-ils l'intention d'avancer sur Ghuru Nor ?

Calvin comprit que, quoi qu'il dît, Hamby ne le croirait pas. Il ne pouvait qu'accepter la situation.

— Je ne sais rien de ce que veut M. Moto, dit-il.

— Parole, camarade, s'écria Hamby, vous ne vous rendez pas compte que j'ai parfaitement compris ! Votre histoire, je ne la connais pas, mais je la devine. Vous étiez dans l'armée ? J'ai été cassé, moi aussi. Si ce n'est pas ça, c'est un vol qui vous a poussé par ici. C'est l'un ou l'autre. Quand les Japonais mettent la main sur un Blanc, c'est toujours le même roman. Racontez le vôtre à votre vieil oncle, Gates ! Vous étiez dans le pétrin et M. Moto s'est amené ?

— Je vous répète que je ne sais pas ce qu'il veut.

Calvin tira un mouchoir de sa poche pour s'essuyer le front. La chaleur lui semblait soudain insupportable.

— Il vous tenait ? reprit Hamby. Il avait deviné la situation ? Allons, Gates, ne faites pas l'enfant ! Moto n'est rien pour vous et je vous offre trois mille dollars pour que vous me disiez ce qu'il veut.

Calvin remit son mouchoir dans sa poche.

— Je n'en sais rien.

Hamby pinça les lèvres et son regard durcit.

— Ainsi, Gates, c'est décidé ? Vous ne voulez pas marcher avec moi ?

— Je préfère continuer à aller seul.

— C'est mon offre qui est insuffisante ?

Le capitaine avait mis ses deux coudes sur la table et son menton reposait sur ses mains. Les rides semblaient s'être creusées plus profondes autour de ses yeux et l'expression de son visage était dure et inquiétante. Il reprit :

— Je ne vous comprends pas, Gates. Du cran, vous en avez ! Plus peut-être que vous ne le savez vous-même. Seulement, vouloir me posséder, ça ne paie pas. Jamais ! Il vous arrivera ce que vous cherchez, c'est une certitude !

— Je vous remercie de me prévenir.

Hamby repoussa sa chaise en arrière.

— Oui, Gates, vous avez du cran ! Je veux seulement espérer que vous savez ce que vous faites.
Maintenant que nous savons, vous et moi, à quoi
nous en tenir, nous allons retrouver miss Dillaway ?
A quoi bon se tracasser ? Rien ne vaut la peine de
se faire de la bile !

Le capitaine quitta le wagon-restaurant le premier.
Il fredonnait son éternel refrain, mais Gates savait
que Hamby ne souriait pas. Il n'oublierait jamais
la façon dont l'autre l'avait regardé quand ils
s'étaient levés de table.

Dans son compartiment, miss Dillaway fermait
sa valise. Le capitaine se précipita.

— Permettez que je vous aide !

Miss Dillaway lui sourit avec une amabilité que
Calvin Gates jugea excessive. Il passa dans son
compartiment et réfléchit à sa situation. Miss Dillaway n'eût pas manqué de la trouver comique :
Hamby le croyait au service du Japon !

Il regarda par la fenêtre. Le train longeait le
haut mur d'enceinte d'une grande ville. On arrivait
à Peiping.

Le guide lui avait appris sur Peiping un certain
nombre de choses et il savait notamment que la ligne
de Moukden se terminait à la gare de Chien-Men,
à l'intérieur de la cité chinoise et non loin du mur
de la cité tartare. Il devrait traverser une bonne
partie de la ville pour aller prendre, à une autre
gare, le chemin de fer de Peiping à Suiyuan. Ce
que le guide ne disait pas et ce qu'il ignorait, c'était
le reste, et sans doute le plus important. Calvin
Gates ne soupçonnait pas la dramatique complexité
de cette ville que des murs et des grilles divisent en
des quartiers qui sont autant de camps retranchés,
où les maisons elles-mêmes sont protégées par de
hautes murailles, qui font de Peiping la cité la plus
étrange et la plus mystérieuse du monde. Il ne
savait pas que Peiping avait été autrefois le centre

du plus grand empire du globe et qu'on y distinguait
la Cité chinoise, la Cité tartare, la Cité impériale et,
au milieu, la Cité interdite, dont les toits couverts
de tuiles jaunes s'apercevaient au-dessus des murs
rouges, dressés autour des palais représentant tout
ce qui restait d'un empire mort depuis des siècles.

Le train s'était arrêté. Son trench-coat sur le bras,
Gates regardait les porteurs chinois qui descendaient
les bagages du train pour les déposer sur le quai.
Le capitaine Hamby avait dû prendre à l'avance
les dispositions nécessaires : un grand Chinois, en
robe de soie noire, s'était précipité vers eux dès
qu'il les avait aperçus et écarté de quelques pas avec
Hamby, pour engager avec lui une conversation en
chinois, qui se poursuivait encore. Calvin était sûr
qu'il y était question de miss Dillaway et de lui.
Certains regards ne lui permettaient pas d'en
douter.

Miss Dillaway était à côté de lui. Il lui sembla
qu'elle avait perdu sa belle humeur du matin. Elle
était pâle et visiblement préoccupée.

— Gates...

Elle s'interrompit. Sa voix aussi n'était plus la
même. Calvin chercha les yeux de miss Dillaway.
Il eut l'impression qu'elle ne le regardait plus de
la même façon. Il lisait dans ses prunelles, non plus
de l'amitié, mais seulement de la curiosité et comme
une sorte de compassion. Certainement, il s'était
passé quelque chose.

— Qu'est-ce que vous avez, Dillaway ?

Il lui avait mis la main sur le bras. Elle avait eu
un geste de recul.

— Voyons, Dillaway, répondez-moi !

Elle le fixait de ce regard étrange qu'il ne lui
avait jamais vu.

— Ne me touchez pas, Gates ! Le capitaine m'a
tout dit.

Il balbutia :

— Qu'est-ce qu'il vous a dit ? Enfin, Dillaway, expliquez-moi ! Que vous a-t-il dit ?

— Vous le savez mieux que moi ! Après ce que vous avez fait, vous n'allez tout de même pas me demander ce que j'ai ?

Il la considérait avec stupeur. Avec désespoir aussi. Maintenant qu'elle s'évanouissait pour une raison mystérieuse qui lui échappait totalement, l'amitié de miss Dillaway prenait à ses yeux sa vraie valeur.

— Mais, enfin, Dillaway, je ne vous ai rien fait ! Je veux mourir à l'instant même si...

Elle lui coupa la parole. Elle parlait d'une voix basse et étranglée.

— J'ai honte... Honte de vous avoir jamais adressé la parole. Vous n'avez rien fait ? Mon Dieu ! Gates, que j'ai dû vous paraître bête ! Le capitaine m'a tout raconté. Avez-vous compris, maintenant ?

L'expression de Calvin et son attitude durent effrayer la jeune femme, car elle s'écarta de lui.

— Hamby vous a parlé ? Mais que vous a-t-il dit ? Je ne comprends pas.

Elle répliqua d'un ton sec :

— Ça ne fait qu'aggraver votre cas !

Plus bas, elle ajouta :

— Pourquoi je vous donne une chance, Dieu seul le sait ! Peut-être parce que vous m'étiez sympathique. J'aurais dû comprendre, après vous avoir vu à l'hôtel avec ce Japonais et, plus tard, en train de prendre le thé, à la gare, avec un autre Japonais. N'essayez pas de me mentir, ça n'arrange rien ! Vous vous êtes servi de moi comme d'un paravent. Vous travaillez pour les Japonais, Gates, et le capitaine Hamby le sait.

— Dillaway...

Il hésita. A quoi bon se défendre ? Il se battait contre des ombres et les soupçons de la jeune femme

étaient logiques. Mais il tenait à son amitié. Il se
força à parler.

— Dillaway, je vous en prie, ne me regardez pas
comme ça et écoutez-moi ! Est-ce que vous ne me
connaissez pas suffisamment pour savoir que je
n'aurais jamais pu faire ce dont vous m'accusez ?
Je vous ai tout dit de mes relations avec M. Moto,
Dillaway, et je tiens par-dessus tout à votre estime.
J'aurais préféré mourir plutôt que de me servir de
vous comme vous le prétendez !

Elle secoua la tête.

— J'ai dit, Gates, que je vous donnais une chance.
Rendez-moi cet étui à cigarettes et allez-vous-en
pendant que vous le pouvez encore ! Je ne vous
blâme pas, mais je peux dire que vous m'avez éton-
née. J'avais beaucoup de sympathie pour vous,
Gates !

Une ombre passa sur le visage de Calvin.

— Cette proposition, c'est Hamby qui vous l'a
suggérée ?

Elle répondit de la même voix lasse :

— Non. C'est moi qui en ai parlé la première. Je
ne veux pas vous blesser, Gates !

Il serrait les poings. Ses ongles s'enfonçaient
dans la chair de ses paumes.

— C'est gentil à vous ! dit-il. Vous faites confiance
à cet escroc et vous ne me croyez pas ?

— Mais qu'êtes-vous donc, vous ? Pourquoi vous
croirais-je ?

Calvin recouvra son calme d'un seul coup. La vie
était implacable. Il fallait en prendre son parti.

— En effet, déclara-t-il, je ne vois pas pourquoi
vous me croiriez puisque vous n'avez aucune raison
de le faire. Vous préférez être avec Hamby plutôt
qu'avec moi ?

— Le docteur Gilbreth l'a envoyé à ma rencontre.

— Je ne discute pas. Puisqu'il vous semble plus
honnête que moi, allez-y ! Je ne suis plus dans la

course. Est-ce qu'il vous a dit pour qui il travaillait ?
J'en doute, car il est à la disposition de qui voudra
bien le payer. A cause de vous, j'étais prêt à sup-
porter sa société et à m'en arranger de mon mieux.
Que fera-t-il lorsque cet étui sera entre ses mains ?
Dieu seul le sait ! Mais vous le voulez et le voici !
Maintenant, Dillaway, allez retrouver Hamby.

Il avait remis l'étui à cigarettes à la jeune femme,
qui le mit dans son sac à main, dont le fermoir
claqua avec un bruit sec.

— Gates, dit-elle, je veux que vous sachiez que
je ne suis pas fâchée. Je ne saurais en vouloir à
quelqu'un comme vous, mais j'espère ne plus jamais
vous revoir.

— Je l'avais déjà compris.

Il lui tourna le dos brusquement. Il lui semblait
que le sol se dérobait sous ses pas. Marchant comme
un automate, il s'éloigna vers l'extrémité du quai.
Il passa près de ses bagages sans s'arrêter, conti-
nuant son chemin, sans se retourner une fois.

Hamby l'appela de loin.

— Oh ! Gates ! Où allez-vous ?

Il trouva moyen de répondre d'une voix qui ne
sonnait pas trop faux :

— Je vais au bout du quai et je reviens. J'ai
besoin de me détendre les jambes !

Conscient que Hamby ne le quittait pas des yeux,
il allait sans se presser. Il se sentait plus léger à
mesure qu'il s'éloignait.

— C'est comme ça, c'est comme ça ! murmura-
t-il.

Au portillon, il remit son billet à l'employé, puis
tranquillement sortit de la gare. Ainsi qu'il l'avait
dit, il n'était plus dans la course.

## 13

Ce fut lorsqu'il arriva sur la place inondée de soleil qui se trouvait devant la gare que Calvin Gates se rendit compte qu'il avait, dans son ressentiment, prononcé des paroles qu'il n'aurait jamais voulu dire. Il se faisait l'effet de quelqu'un qui survit à un désastre. Il se sentait désemparé. Quand miss Dillaway lui avait dit de s'éloigner, il n'aurait pas dû lui obéir, il aurait dû rester. Maintenant, l'irréparable était fait.

Il se souvint alors que c'était un autre désastre qui l'avait amené en Chine. Il n'avait pas le droit de l'oublier. Il lui fallait se rendre, par ses propres moyens, à l'autre gare et prendre le train qui le conduirait à Ghuru Nor. Il avait traversé l'Océan pour voir le docteur Gilbreth. Il n'était pas question de renoncer.

Revenant au présent, il s'aperçut soudain qu'il était entouré d'une petite foule de Chinois, dont l'haleine empestait l'ail, tous également empressés à lui proposer leurs services, certains allant même jusqu'à le tirer par la manche.

— *Rickshaw*, maître, *rickshaw?*

Il était en train de s'aviser qu'il ne savait pas où se faire conduire quand un Chinois de belle stature écarta les autres pour arriver jusqu'à lui. Il portait une casquette à visière et une livrée de chauffeur, assez sale, et son visage replet et débonnaire évoquait irrésistiblement l'idée d'une pleine lune.

— Taxi, maître, dit-il d'une profonde et harmonieuse voix de basse. Voiture allez vite. Toujours... Par ici, maître !

Il montrait du doigt une auto noire fermée, d'un modèle vénérable.

— Joli taxi, maître... Vous monter, maître !

Il avait ouvert la portière et pris Calvin par le bras, comme pour l'aider à monter. L'Américain avait un pied sur le marchepied quand une poussée brutale dans le dos l'envoya rouler sur le plancher. Presque en même temps, la portière claquait.

— Asseyez-vous près de moi ! ordonna une voix.

Encore à quatre pattes, Calvin leva la tête : assis dans un coin, un Japonais, de petite taille comme presque tous ceux de sa race, dirigeait sur lui le canon d'un pistolet automatique. Il avait une mâchoire puissante, des yeux très noirs et très rapprochés, un nez minuscule aplati au milieu d'une face ingrate et dure.

— J'attends !

Calvin avait compris : il s'agissait encore de cet étui à cigarettes, dont « on » se figurait toujours qu'il était en sa possession. Il se releva lentement, s'installant sur la banquette au côté de celui dont il était le prisonnier. L'homme, qui comme un million de ses compatriotes portait de mauvais vêtements européens, lui maintenait le canon de son arme sur le flanc.

— Qu'est-ce que vous vous proposez de faire ? demanda Calvin.

La question était stupide. Le Japonais y répondit exactement comme Calvin avait escompté. Marquant une pause entre chaque mot, il dit :

— Restez tranquille et taisez votre sale bouche !

Calvin, jugeant la conversation impossible, se rejeta en arrière et croisa les mains sur son genou. Pour la première fois, un Jaune venait de lui parler avec insolence et brutalité. Mauvais signe. On ne pouvait plus clairement lui indiquer qu'il était « nettoyé » et désormais indigne de considération. Il se dit qu'il en aurait sans doute été autrement si l'« on » avait su que l'étui n'était pas sur lui et une autre pensée, terrible celle-là, lui vint à l'esprit. La même aventure pouvait arriver à miss Dillaway quand « ils » auraient découvert que l'objet n'était pas dans ses poches. Si injuste qu'eût été la jeune femme avec lui, il n'aurait jamais dû la quitter.

Du coin de l'œil, il examina son geôlier. Malgré sa mâchoire carrée, l'homme n'aurait pu lui résister longtemps. Un instant, Calvin songea à engager la lutte. La pression du pistolet sur ses reins le ramena à la sagesse. Inutile de se suicider. D'autant qu'il lui eût fallu, après être venu à bout de son gardien, se débarrasser du chauffeur, dont il apercevait devant lui la grosse nuque boursouflée. La voiture s'était mise en route, suivant une large avenue, pour arriver devant un haut mur rougeâtre, précédé d'un profond fossé qu'elle franchit sur un pont de marbre blanc. Elle roula ensuite dans des voies animées. Calvin entrevoyait des maisons blanches aux portes peintes en rouge, des *rickshaws* dont les occupants portaient de larges ombrelles, des Chinois qui se promenaient en agitant de grands éventails multicolores, des charrettes tirées par des hommes en sueur. L'auto tourna brusquement dans une petite rue étroite, bordée de murs à droite et à gauche. Elle s'arrêta bientôt devant une grande grille rouge. Le chauffeur en réclama l'ouverture à coups de trompe. La voiture, la grille franchie, s'immobilisa, définitivement cette fois, dans une cour de belles dimensions. Souriant, le chauffeur ouvrit la portière.

— Descendez et suivez-le !

Calvin n'obligea pas son gardien à répéter et obéit. Il se trouvait dans une cour pavée de briques jaunes et ceinte de murs élevés, sur lesquels s'appuyaient de petits bâtiments, coquets avec leurs portes et leurs volets rouges fraîchement repeints. Il comprit qu'il était dans la cour intérieure d'une hôtellerie indigène ou, peut-être, d'un palais. Il était là comme dans une prison d'où l'on ne s'échappe pas et où nul ne peut venir à votre secours. Il se mit en marche derrière le chauffeur. L'automatique restait pressé sur ses reins. Calvin se souvint qu'il avait une arme, lui aussi, dans la poche de son veston. Son geôlier ne l'avait même pas fouillé. Mais, ce pistolet, de quelle utilité pouvait-il lui être alors qu'un autre, prêt à tirer, le poussait en avant ?

Le chauffeur ouvrit une porte et s'effaça pour laisser passer le prisonnier. Un mot bref de son gardien l'invita à avancer. Il obéit. Quoi qu'il dût arriver, les choses iraient vite maintenant. Cette pensée ne l'effrayait pas. Il acceptait de mourir pourvu que son geôlier mourût avec lui. Il se rendait compte qu'il n'y gagnerait rien, mais cette idée lui donnait du courage.

Il gravit quelques marches, pénétrant dans une pièce qui lui parut plongée dans le noir jusqu'à ce que ses yeux, encore éblouis par la lumière éclatante du soleil, se fussent habitués à la demi-obscurité de l'endroit, éclairé seulement par quatre fenêtres étroites, dont les vitres étaient remplacées par du papier de riz. Des colonnes, peintes en rouge, bleu et or, montaient vers le plafond aux poutres sculptées. A l'extrémité de la pièce, il aperçut une sorte de plate-forme, couverte de nattes, sur laquelle il y avait une petite table en bois de teck. Le chauffeur ferma la porte et se retira, laissant Calvin seul avec son gardien, qui, son arme toujours braquée sur le prisonnier, l'invita à rester debout et à ne pas bouger. Il n'y avait aucun siège dans la pièce, hormis un banc qui courait le long

d'un mur. Calvin sourit, haussa les épaules, alla
s'adosser à une des colonnes et dit :

— Vous vous croyez drôle ?

L'homme ne répondit pas.

Drôle, la situation ne l'était pas. Calvin n'avait
qu'une certitude : il ne serait pas abattu tout de
suite. On attendait quelqu'un, qui ne tarderait sans
doute pas à arriver.

Quelques minutes plus tard, un homme entrait.
Il était vêtu à l'européenne et, bien qu'il éprouvât
encore quelque difficulté à distinguer les races
asiatiques, Calvin reconnut en lui un Japonais.
Large d'épaules, solidement bâti, plus grand que ne
le sont à l'ordinaire ses compatriotes, le nouveau
venu, fort à l'aise dans son complet de toile blanche
immaculé, était indiscutablement un militaire. Son
attitude et sa démarche le proclamaient. Il avait une
cinquantaine d'années et portait, sur la pommette
gauche, deux larges balafres, semblables à celles
dont s'enorgueillissaient les officiers prussiens au
temps des duels d'étudiants. Elles descendaient assez
bas et l'une d'elles, affectant les muscles de la joue,
faisait tomber un des côtés de la bouche, curieu-
sement déformée.

L'homme donna un ordre et le gardien de Calvin
se retira dans un angle de la pièce. Il conservait
son pistolet à la main.

— Vous êtes Américain et vous vous appelez
Calvin Gates ?

Debout, les mains derrière le dos, le nouveau venu
interrogeait. La voix était dure et sèche. L'homme
s'exprimait en un anglais gâté par un fort accent
germanique.

Calvin, qui ne voyait pas pourquoi il se serait
montré poli, répondit :

— Je suppose que vous êtes un Japonais qui a
fait ses études en Allemagne. Vous connaissez mon
nom, mais je ne sais pas le vôtre.

La bouche de l'homme se tordit sur le côté gauche, l'autre demeurant immobile.

— C'est juste ! dit-il. Vous parlez au major Ahara, de l'armée japonaise.

— C'est intéressant, mais le nom ne me rappelle rien.

L'homme grimaça de nouveau.

— Je n'ai jamais aimé les Américains, reprit-il, et j'espère que nous leur ferons bientôt la guerre. Nous verrons à ça dès que nous en aurons fini par ici.

— Fort intéressant.

Le major toisa Calvin avec mépris.

— Les Américains me dégoûtent et je n'ai pas envie de bavarder avec vous. On me dit que vous possédez un étui à cigarettes ?

— Et après ?

— Vous allez me le donner.

Calvin Gates était toujours adossé à la colonne. Le gardien écoutait, intéressé.

— Pourquoi ? demanda Calvin.

— Vous le savez aussi bien que moi.

— Soit ! Inutile de mentir.

Calvin Gates mit la main dans la poche droite de son veston.

— Je constate avec plaisir que vous êtes raisonnable, dit le major. Si vous répondez de bonne grâce à mes questions, les choses n'iront pas trop mal pour vous. J'ajoute que, de toute façon, vous parlerez.

Calvin, dont les doigts se crispaient sur son arme, tira en même temps que l'automatique jaillissait de sa poche. Le gardien s'écroula le long du mur. Le major n'avait pas bougé. Calvin recula d'un pas.

— Pas très fort de votre part, major ! fit remarquer Calvin. Vous autres, Japonais, vous avez une terrible confiance en vous ! Vous ne fouillez donc pas les gens quand vous vous emparez d'eux ?

Le major porta la main à son front. Ses manières assurées de vieux militaire avaient disparu et ce fut d'une voix très douce et très humble qu'il répondit :

— Je vous demanderai de me tuer tout de suite. L'information disait que vous n'étiez pas armé. Vous m'obligeriez en me tuant avant l'arrivée des autres.

— Vous êtes susceptible, hein ? Ne vous en faites pas ! Vous partirez en même temps que moi !

Calvin tendit l'oreille. Dans la cour, on parlait et on marchait, mais il ne semblait pas qu'on approchât de la porte de la pièce. L'homme qu'il avait blessé geignait faiblement, ses deux mains pressées sur son flanc. Calvin sourit.

— On dirait que tout le monde croit que c'est sur moi qu'on a tiré.

Le major répéta sa prière :

— Vous m'obligeriez en me tuant tout de suite.

Calvin vint vers lui.

— On a sa petite fierté, hein ? Vous vous tuerez si ça vous chante. Moi, j'aime mieux procéder autrement !

Il avait transféré son arme de sa main droite à sa main gauche et son poing droit vint s'abattre avec force sur la mâchoire du major, qui ouvrit la bouche et fléchit sur les genoux. Calvin frappa une seconde fois. Le Japonais ne lui causerait plus d'ennuis pendant un certain temps.

Calvin ne se rendit pas compte tout de suite de ce qu'il avait fait et il ne le découvrit qu'au bout de quelques secondes et avec une sorte de surprise, analogue à celle du joueur qui vient de réussir une succession invraisemblable de coups heureux. Ce qui l'étonnait surtout, c'était que les choses eussent été si faciles. En moins d'une minute, il avait, pour la première fois de sa vie, tiré sur un homme, et cela aussi froidement, aussi calmement, qu'il aurait tiré sur une cible à l'entraînement, puis abattu à coups de poing un second individu !

La situation était d'ailleurs d'une ironie assez amère. Il s'apercevait qu'il venait de faire ce qu'il avait toujours eu envie de faire, que le danger l'avait toujours attiré, qu'il venait enfin de faire quelque chose qui l'amusait et que tout cela l'aurait transporté de joie s'il ne s'était avisé du même coup qu'il avait, plus ou moins consciemment, tout fait pour en arriver là et qu'il ne pouvait être utile que dans des circonstances comme celles-là.

Il conclut qu'il n'avait pas à se montrer fier de ce qu'il avait fait, mais que, maintenant que c'était fait, il était trop tard pour reculer. Il lui fallait agir vite s'il voulait conserver une toute petite chance de sortir de la cour et de gagner la rue vivant.

Sans hâte, il se dirigeait vers la porte. Tout en songeant à ce qu'il allait faire, il réfléchissait encore à ce qui venait de se passer. Il se disait que, s'il sortait intact de l'aventure, il lui serait très facile, le cas échéant, de se tirer d'une situation analogue. La peur ne le paralyserait pas et tuer lui coûterait moins. Avec le temps, il deviendrait un type dans le genre du capitaine Hamby. Il ne pouvait pas espérer être jamais quelque chose de mieux.

Son plan de conduite immédiat était arrêté. Il lui fallait sortir tranquillement dans la cour et, profitant du désarroi que causerait son apparition, gagner la grille et la rue. Si quelqu'un s'opposait à sa fuite, il tirerait. Sans remords. Comme eût fait Hamby...

A la porte, il s'immobilisa. Dans cette cour, qui était vide quand il l'avait traversée, il entendait des voix. Il semblait même qu'on discutait. Gardant son automatique à la main, il ouvrit et sortit dans le soleil.

Nul ne le remarqua. Il y avait là un certain

nombre de Japonais, mais leur attention se concentrait sur une scène qui se déroulait au milieu de la cour, autour de l'antique automobile noire qui l'avait amené, près de laquelle se trouvait maintenant une petite voiture jaune, au volant de laquelle se tenait un chauffeur en uniforme kaki. A côté, trois Japonais discutaient avec animation. Tous ces détails, Calvin Gates les enregistra en une seconde et il allait prendre son élan pour courir vers la grille quand les trois hommes l'aperçurent et se turent. Presque aussitôt, l'un d'eux se détachait du groupe et, venant vers lui, l'interpellait :

— Monsieur Gates ! Un moment, s'il vous plaît !

Calvin reconnut la voix, le costume de golf blanc et noir et le sourire aurifié : c'était M. Moto. Venant, non sans courage, vers l'Américain, il poursuivait :

— Quelle joie de vous revoir, monsieur Gates ! Et quelle heureuse fortune !

Lorsqu'il fut à deux pas de Calvin, souriant, il dit à mi-voix :

— Voudriez-vous, monsieur Gates, venir avec moi tout de suite ? Sinon, j'ai bien peur que nous ne soyons tués, vous et moi.

Calvin Gates ne bougea pas.

— Comment êtes-vous venu ici ?

— En avion, répondit le petit Japonais. Je ne comprends pas. C'est terrible. Tous ces gens-là ne m'aiment pas. Les officiers sont furieux, absolument furieux. Il y a tant de factions au Japon ! Je vous en prie, suivez-moi ! Et, surtout, ne tirez pas avant que je ne vous le dise !

Le visage de M. Moto souriait, mais ses doigts tremblaient et de petites contractions nerveuses faisaient ciller ses paupières. Il reprit :

— N'allez pas tout gâcher, alors que je travaille si dur ! Je croyais avoir compris les Américains. Pardonnez-moi d'être si impoli. Ne dites rien et suivez-moi !

M. Moto tourna les talons et se dirigea vers la petite voiture jaune. Calvin se mit en route derrière lui. Les deux Japonais qui, tout à l'heure, discutaient avec M. Moto, attendaient, le visage fermé, impénétrable.

— Montez ! dit M. Moto.

Parlant avec une extraordinaire volubilité, il s'adressa ensuite à ses deux compatriotes. L'un d'eux lui répondit d'une phrase brève. M. Moto répliqua, tira une feuille de papier de sa poche et la montra, frappant dessus de l'index. Puis, l'argument apparaissant convaincant, il grimpa en voiture sans ajouter un mot et lança un ordre au chauffeur qui démarra. La voiture franchit la grille. M. Moto laissa filtrer entre ses dents un léger soupir.

— Une chance ! murmura-t-il. Cette faction militaire est terrible. Il n'y a pas plus difficile à manier ! Que vous est-il arrivé, je vous prie ?

— J'ai tué un homme, répondit Calvin. J'avais été littéralement enlevé à la gare. A cause, j'imagine, de ce satané étui à cigarettes !

M. Moto exprima sa sympathie par un hochement de tête.

— Je suis navré, dit-il. Vous avez commis une grosse erreur en quittant vos amis. Ces militaires sont tellement impétueux ! Nos soldats sont braves, mais ils agissent toujours avec précipitation. Je suis accouru dès que j'ai été informé.

— D'où veniez-vous ?

— Ne me le demandez pas, voulez-vous ? C'est sans importance. Nous allons nous rendre quelque part où nous serons plus en sûreté. Nous parlerons comme des amis et nous boirons du whisky comme des Américains. Que s'est-il passé ? J'espère qu'ils ont été polis avec vous.

— Ils allaient me tuer et vous le savez bien ! répliqua Calvin Gates.

— Evidemment, dit M. Moto, je sais qu'ils avaient l'intention de vous « liquider », mais c'est de leur politesse que je vous parle. Il me serait si pénible d'avoir à consigner dans mon rapport qu'on vous a traité avec brutalité. Parlez, je vous prie !

Calvin se décida à faire à M. Moto un rapide récit de son aventure. Le petit Japonais l'écouta avec attention. Il paraissait très troublé.

— Voilà qui est fort grave, dit-il lorsque Calvin eut fini. Ces manières incorrectes sont inadmissibles. Je suis extrêmement mécontent, extrêmement. Il n'y a pas de raison d'être impoli au cours d'une « liquidation ». J'en ai vu beaucoup et toujours elles ont été menées avec les égards convenables.

Son visage, soudain, s'éclaira. Il poursuivit :

— Mais vous avez tué l'homme qui vous avait frappé. Votre honneur est sauf. Ce major à balafres est le major Ahara. Il a essayé de me tuer à l'occasion de troubles politiques, mais c'est un homme délicieux. Il adore les fleurs. Il a dans son jardin, monsieur Gates, des azalées admirables. J'ai entendu le premier coup de feu, mais pas le second. Car j'espère que vous l'avez tué, lui aussi... Vous ne l'avez pas fait ? Je ne comprends pas. Les Américains sont très curieux, très. Il eût été tellement plus gentil de le tuer que de le frapper, monsieur Gates. C'eût été tellement plus... excusez-moi, monsieur Gates, tellement plus poli !

— Pourquoi donc ? demanda Calvin, que ce discours commençait à agacer.

M. Moto soupira.

— Parce que j'ai bien peur, monsieur Gates, qu'il ne soit maintenant obligé de se tuer. Vous devez comprendre qu'il est déshonoré. Vous avez eu beaucoup de chance qu'il ne vous ait pas fouillé, monsieur Gates. C'est ce que n'auraient pas manqué de faire les jeunes officiers, qui appartiennent presque tous à l'aile gauche du parti militaire et sont très difficiles à tenir en main.

Certains des propos de M. Moto restaient assez obscurs pour Calvin Gates. Une chose, par contre, était sûre et il l'exprima en une phrase aussi courte que sincère :

— Je n'ai qu'un regret, c'est de vous avoir rencontré !

## 14

M. Moto éleva la main dans un geste de protestation. Il avait l'air désolé.

— Je suis navré, dit-il, et je vous prie de m'excuser ! Tout cela ne devait pas arriver. Mes plans étaient parfaitement au point. J'avais bien réfléchi à ce que vous feriez. Il y avait dans le train une jeune femme absolument charmante et j'étais convaincu que vous resteriez avec elle. Je ne comprends pas. Avec le capitaine Hamby, vous auriez été en sécurité.

— Comment saviez-vous que Hamby serait là ? demanda Gates, stupéfait.

— La chose n'a pas d'importance, répondit le petit Japonais. J'ai été stupide. J'étais tellement sûr que vous ne quitteriez pas la jeune dame ! Je ne comprends pas. Naturellement, vous avez remis l'étui à cigarettes au capitaine Hamby ?

Calvin secoua la tête.

— Non. Je n'avais pas confiance en lui.

Si la réponse l'avait surpris, M. Moto n'en laissait rien voir.

— J'aurais dû me douter de ça ! reprit-il. C'est stupide de ma part de ne pas y avoir songé, mais vous êtes, vous, monsieur Gates, très déconcertant. Vous quittez la dame et vous conservez l'étui. Jamais je n'aurais imaginé ça !

— L'étui, dit Gates, je ne l'ai plus.

Cette fois, l'impassible M. Moto réagit : visible-

ment alarmé, il porta la main à son front. Son teint
était devenu verdâtre. Saisissant l'Américain par le
revers de son veston, il demanda d'une voix sourde :

— Il vous l'ont pris là d'où nous venons ? Vite,
monsieur Gates, répondez-moi !

— Non.

M. Moto murmura quelques mots en japonais.
Toujours cramponné à Gates, il reprit :

— Vous l'avez jeté ?

— Non. Je l'ai rendu à miss Dillaway. Nous nous
sommes disputés et je me suis fâché. Je voudrais
ne vous avoir jamais rencontré, monsieur Moto.
Je suis très inquiet de ce qui peut arriver à miss
Dillaway.

M. Moto lâcha le col de Gates et respira. Ses
joues retrouvaient leur couleur originelle.

— Pardonnez-moi ! dit-il. J'étais tellement stupéfait... Ainsi, c'est miss Dillaway qui a l'étui ? Naturellement, vous aviez parlé de l'objet avec le capitaine Hamby ?

Calvin Gates haussa les épaules.

— Je vous répète que c'est miss Dillaway qui
m'inquiète ! Vous pensez bien que j'ai parlé à
Hamby ! Il m'a expliqué qu'il s'agissait d'un message en code, destiné aux Russes. C'est une information militaire et, au lieu d'essayer de l'intercepter,
vous faites tout ce que vous pouvez pour qu'elle
parvienne à destination. Hamby, parfaitement au
courant de vos manigances, croit que je travaille
avec vous et m'a offert trois mille dollars pour que
je lui dise ce que vous voulez faire.

M. Moto, bien loin de paraître contrarié, souriait
et faisait mine d'applaudir.

— Voilà qui est charmant ! s'écria-t-il. Exactement ce que je souhaitais. Je vous remercie infiniment.

Calvin Gates fronça le sourcil.

— Ce que je veux savoir, répliqua-t-il, c'est ce

qui va arriver à miss Dillaway et si vous allez faire
quelque chose pour arrêter ce message

— Si je me donne tant de mal, dit doucement
M. Moto, c'est justement pour qu'il suive son che-
min. Il faut qu'il parvienne à Kalgan à un certain
M. Holtz. Je suis sûr, maintenant, qu'il arrivera.

— Enfin, Moto, demanda Gates, est-ce que c'est
pour votre pays que vous travaillez ?

La question parut chagriner le Japonais.

— Je serais heureux de mourir pour mon Empereur, répondit-il. Vous m'avez, monsieur Gates,
rendu un immense service. Les militaires vont être
furieux contre vous, mais je veillerai sur votre
sécurité. Je suis enchanté que le capitaine Hamby
en sache si long.

Son visage était celui de quelqu'un qui savoure
une excellente plaisanterie.

— J'ai appris bien des choses dans ce train,
monsieur Moto ! reprit Gates. Savez-vous que les
Russes ont deux divisions prêtes à aller occuper
des positions à Ghuru Nor ? Et, si vous savez cela,
allez-vous me prétendre que vous allez laisser passer
ce message ?

Vivement, M. Moto se tourna vers Gates.

— Ceci, monsieur Gates, ne vous concerne pas.
Pourquoi cela vous intéresse-t-il ?

— Parce que je veux savoir ce qui va arriver à
miss Dillaway ! C'est elle qui a l'étui à cigarettes.

— Alors, pourquoi n'êtes-vous pas resté avec
elle ? C'est pour cela que vous vous êtes disputés ?

Calvin Gates éprouvait une violente envie de
secouer le petit homme par les épaules pour obtenir
de lui la réponse qu'il espérait. Se contenant, il
dit :

— Hamby lui a raconté que j'étais un espion
japonais et elle m'a accusé de me servir d'elle. Ah !
j'ai des raisons de vous remercier, monsieur Moto !

M. Moto mit sa main devant sa bouche.

— Je vous demande pardon de rire, monsieur Gates, mais c'est tellement drôle ! Je me suis servi d'elle comme je me suis servi de vous et comme je me sers de tout le monde. Ce qui m'amuse, c'est que ces militaires vous aient pris et n'aient pas songé une seconde que vous déteniez de si précieuses informations ! Je ris et je m'en excuse, mais vous ferez comme moi quand vous comprendrez !

M. Moto se passa la main sur les yeux et poursuivit :

— L'endroit où je suis allé vous rechercher, c'est le centre du service de contre-espionnage attaché à l'état-major de notre IIIᵉ Armée. L'information que vous venez de me communiquer, les militaires en question s'épuisent à la découvrir. Comprenez-vous ?

— Tout ça m'est absolument égal ! répliqua Calvin. Miss Dillaway a l'étui dans son sac à main. Que va-t-il lui arriver ?

M. Moto avait retrouvé son visage impénétrable.

— Rien de mal, j'espère. Tout dépend du capitaine Hamby, j'en ai bien peur. Vous ne me comprenez pas très bien, monsieur Gates, mais je vous suis très reconnaissant de ce que vous avez fait. Je ne pense plus avoir besoin de vous et nous parlerons de vos projets dans un instant. Nous nous rendons chez un de mes amis, un de mes compatriotes qui est un personnage très important. Il n'est pas chez lui, mais vous serez le bienvenu en sa maison. Nous arrivons, je crois...

Calvin Gates n'avait pas accordé la moindre attention à l'itinéraire suivi par la voiture. Il ne savait ni où il se trouvait, ni quelle heure il pouvait être. Il vivait une aventure fantastique dans un pays où, comme le lui avait fait remarquer Hamby, tout était dans le domaine du possible. L'auto s'était arrêtée en face d'une grande grille rouge entr'ouverte, devant laquelle se tenait un valet en livrée blanche. Le chauffeur ouvrit la portière. M. Moto invita Calvin à descendre. L'Américain hésitait.

— Faîtes vite ! reprit M. Moto. La rue est dangereuse.

Calvin obéit. Suivi de M. Moto, il franchit la grille, qui se ferma sur eux. Il se trouva dans une grande cour fraîche, au centre de laquelle il y avait un bassin entouré d'arbustes en pots. Un domestique japonais s'inclinait devant M. Moto.

— Soyez le bienvenu dans la maison de mon ami ! dit M. Moto. Par ici, voulez-vous ?

Ils passèrent dans une seconde cour, pénétrant ensuite dans la maison. La pièce où ils entrèrent était d'un luxe sympathique : meubles laqués, fresques chinoises et tapis épais.

— La pièce est très simple, reprit M. Moto, mais mon ami a le goût excellent. On va nous apporter du whisky. Tous les Américains aiment le whisky. Asseyez-vous, je vous prie, monsieur Gates ! Les sièges sont très confortables.

Calvin prit place dans un fauteuil, à côté d'une petite table, et regarda autour de lui. Un large bureau, sur lequel il y avait un téléphone, des livres et des papiers, indiquait qu'il devait être dans une sorte de bureau. Au centre de la pièce, une table supportait une planche sur laquelle était fixée avec des punaises une grande carte militaire, piquée d'épingles multicolores. M. Moto, souriant, se frottait les mains.

— Mon ami m'autorise à travailler ici, expliqua-t-il.

Un domestique entra, qui apportait le whisky, et presque aussitôt un autre, qui remit à M. Moto un dossier qui semblait contenir de nombreux papiers. M. Moto se dirigea vers le bureau.

— Je vous en prie, monsieur Gates, dit-il, servez-vous et demandez ce que vous voudrez ! Vous m'excuserez, j'en ai pour un instant.

S'asseyant, il s'absorba dans la lecture de ses documents et, les ayant rangés dans un tiroir, saisit l'appareil téléphonique. Il dit quelques mots, puis, la main sur le cornet, invita de nouveau Calvin Gates à se rafraîchir.

— Miss Dillaway et le capitaine Hamby sont dans le train de Kalgan, ajouta-t-il. Ils n'ont aucun ennui.

Après quoi, il se remit à parler dans le téléphone.

En japonais ou en chinois ? Calvin eût été incapable de le dire. Ce qu'il savait, par contre, c'est qu'il était là, tranquillement en train de boire du whisky, tandis que miss Dillaway, escortée du capitaine Hamby, s'en allait où il aurait dû aller, lui. M. Moto assurait que tout allait pour le mieux, mais rien n'était moins sûr. Le jeu était encore dangereux, puisqu'il était recommandé de ne pas s'attarder dans la rue, et tout donnait à penser que la partie approchait de son point culminant. Les enjeux étaient considérables, puisqu'il ne s'agissait de rien moins que de la paix ou de la guerre. Calvin, comme tous les Américains, n'avait que des notions très vagues sur la géographie et les affaires de l'Extrême-Orient, mais elles lui permettaient cependant de voir l'ombre du Japon s'étendre sur la Chine. Elle avait déjà atteint Peiping et elle progressait au delà. Les armées japonaises la suivaient...

— *Arigato, arigato...*

C'était M. Moto qui parlait au téléphone. M. Moto, Calvin n'en doutait plus, était un personnage considérable. Chinois, Russes et Japonais, ceux-ci divisés en différentes factions, devaient compter avec lui. Il agissait sur les uns et les autres, utilisant tantôt celui-ci, tantôt celui-là, se servant du capi-

taine Hamby après s'être servi de Calvin Gates,
menant tout le monde vers un dénouement qu'il
était peut-être seul à prévoir.

— *Arigato, arigato...*

Il y avait de l'autorité dans sa voix brève. Il
commandait, donnait des ordres...

La communication terminée, le Japonais revint
vers son hôte.

— Tout est parfait ! déclara-t-il. Comme je vous
l'ai dit déjà, le capitaine Hamby et miss Dillaway
sont dans le train. Vous serez sans doute heureux
d'apprendre que le major Ahara a finalement décidé
de ne pas se suicider. Il est actuellement dans un
avion qui vole vers Kalgan, où il compte trouver le
capitaine Hamby. Il semble que la mission scientifique du docteur Gilbreth cause quelques soucis à
l'ambassade américaine. Toute l'expédition serait
prisonnière du prince de là-bas. C'est pour vous une
chance, monsieur Gates, que d'être ici ! Je serai,
dans quelques instants, obligé de vous quitter. Vous
resterez ici pendant un jour ou deux. Ensuite, vous
ne courrez plus aucun risque. Les choses seront
arrangées dans un sens ou dans l'autre.

Calvin posa son verre sur la table et se leva.

— Où allez-vous ? demanda-t-il.

M. Moto tenait à la main des papiers qu'il venait
de prendre dans un tiroir.

— Je suis désolé, répondit-il, mais il faut que je
me rende dans le nord. Je viens de prévenir l'aérodrome d'avoir à me préparer un avion. Il est indispensable que je sois à Kalgan lorsque Hamby y
arrivera.

Calvin vint mettre ses deux poings sur le bureau.

— Et, moi, je vais rester ici, prisonnier ?

M. Moto parut choqué.

— Je vous en prie, monsieur Gates ! Vous restez

ici en qualité d'hôte et non de prisonnier. C'est le seul moyen d'assurer votre sécurité. Souvenez-vous de votre aventure de ce matin !

Calvin répliqua par son éternelle question :

— Mais que va-t-il arriver à miss Dillaway ? Est-elle vraiment en sécurité, elle ?

M. Moto sourit, de ce sourire des Japonais qui n'a aucun rapport avec l'humour.

— Tout le possible sera fait, répondit-il, mais on n'est jamais sûr de rien.

La politesse souriante de M. Moto, qui le traitait en hôte, ne trompait pas Calvin Gates. Il n'était pas prisonnier, mais M. Moto ferait de lui ce que bon lui semblerait.

— Monsieur Moto, dit-il, est-il quelque chose qui puisse vous décider à me prendre avec vous ? Il faut que j'aille là-bas.

Ses petits yeux plissés, M. Moto le considéra avec attention.

— Puis-je vous demander pourquoi ?

Calvin Gates hésita. Il avait toujours répugné à se confier à qui que ce fût et, maintenant encore, la chose lui paraissait difficile. Avant qu'il eût pu se forcer à parler, M. Moto reprit :

— Pardonnez-moi ma question, monsieur Gates, mais répondez-moi avec franchise ! J'aimerais savoir pourquoi vous voulez gagner Ghuru Nor, un endroit qui ne me paraît pas fait pour un homme comme vous. Vous prétendez aller là-bas pour rejoindre une mission scientifique. Ce n'est pas vrai.

— J'en conviens. Il me fallait un prétexte. J'ai traversé l'océan pour rencontrer un certain docteur Gilbreth. Il faut que je le voie.

— Très intéressant, murmura M. Moto. Mais pourquoi voulez-vous le voir ?

Les doigts de Calvin s'appuyaient si fortement sur le dessus du bureau qu'ils en étaient tout blancs. M. Moto ajouta, d'une voix très douce :

— Parlez sans crainte, monsieur Gates ! Ce sera tellement plus simple...

Calvin hésitait encore. Ce secret, il avait presque tout sacrifié pour le garder. Il avait cru qu'il aurait préféré mourir plutôt que de le confier à quiconque et il lui fallait, maintenant, le révéler à un homme qui n'était même pas de sa race.

— Vous êtes déjà partiellement au courant, dit-il enfin, puisque vous savez que je suis recherché par la police. Je l'ignorais et la chose m'a surpris : elle est peut-être normale, mais il y a des gestes qu'on n'attend pas de sa propre famille. Vous m'avez dit que j'étais recherché pour vol. Plus exactement, il s'agit d'un faux. Avant de quitter les Etats-Unis, j'ai reconnu l'avoir commis. Ce docteur Gilbreth, que je tiens à voir, la banque lui a payé un chèque de dix mille dollars, dont la signature était fausse.

— Imitée par vous ?

— Non.

Calvin, après s'être éclairci la gorge, ajouta d'une voix étranglée :

— Je me suis accusé de l'avoir fait, mais je ne suis pas le vrai coupable.

— Et c'est pour lui prouver votre innocence que vous voulez voir le docteur Gilbreth ? Un message ne suffirait-il pas ?

— Non. Il est le seul homme au monde à pouvoir deviner qui a commis ce faux. Je viens lui demander de ne pas le dire. Vous me croyez ?

Calvin éprouvait un sentiment de gêne. Il ne souffrait pas dans son orgueil, il n'avait honte de rien, mais il se disait qu'à la place de M. Moto il eût trouvé son histoire ridicule.

— Les gens font de drôles de choses, dit M. Moto. Continuez, je vous prie.

— Que voulez-vous que je vous dise ? s'écria Calvin. J'ai peut-être agi comme un imbécile, mais je n'y peux rien ! Le faux a été commis par la fille

de mon oncle, une petite qui s'est toquée de ce
docteur Gilbreth. Il était impossible qu'elle ne se
fît pas prendre. Alors, non pas pour elle, mais pour
mon oncle, je me suis accusé. Pour la famille, pour
tout le monde, il vaut mieux que ce soit moi le
coupable. Mon oncle est un chic type, qui s'est
toujours occupé de moi et à qui je n'ai pas donné
beaucoup de satisfactions, parce que je n'ai jamais
tenu en place et jamais rien fait de bien. Voilà toute
l'histoire, monsieur Moto, et vous m'auriez coupé
en morceaux plutôt que de me l'arracher si je ne
voulais à toutes forces poursuivre mon voyage. Je
ne peux pas rester ici !

Il se sentait las, comme après un violent effort
physique, mais mieux aussi, comme soulagé.

— Je suis très honoré, dit doucement M. Moto,
des confidences que vous avez bien voulu me faire,
monsieur Gates, mais je continue à ne pas comprendre.

— A ne pas comprendre quoi ?

— Pourquoi vous ne pouvez attendre. Il vous
serait tellement facile, dans trois ou quatre jours,
de voir le docteur Gilbreth !

Calvin Gates rougit.

— Je ne peux pas, répondit-il, abandonner miss
Dillaway. Je ne sais ce qui va lui arriver, puisque
vous ne voulez pas me le dire, et je ne peux pas
la laisser seule. Il faut que je m'en aille tout de
suite !

M. Moto considérait ses ongles avec attention.

— Je ne comprends pas bien, dit-il, ce que vous
désirez le plus : voir miss Dillaway ou voir le docteur Gilbreth ?

— Quelle différence cela fait-il ?

— Je crois, monsieur Gates, que, si vous le
saviez, cela ferait pour vous une certaine différence.
Parce que vous croyez une dame en danger, vous
êtes tout prêt à vous jeter dans des difficultés dont

vous ne savez rien. Cela ne me paraît pas très logique et il est tellement mieux de toujours bien savoir ce que nous voulons !

— Cela me semble, à moi, suffisamment logique.

M. Moto soupira.

— J'ai souvent vu, reprit-il, de très jolies femmes faire échouer les plus belles combinaisons. J'en ai connu une à Washington, il y a bien longtemps, qui était adorable...

Les yeux au plafond, comme perdu dans ses souvenirs, il poursuivit :

— Elle m'a vendu trente mille yen les plans d'un sous-marin. Quand j'ai déplié les bleus, j'ai constaté que c'étaient ceux d'un remorqueur. Une autre, à Tokio, charmante, elle aussi, a essayé de me faire assassiner dan son jardin, où elle m'avait emmené pour admirer ses poissons rouges. Elle était délicieuse, mais, si je suis encore en vie aujourd'hui, c'est parce qu'elle avait fait choix de bien pauvres tireurs. Je me trompe quelquefois sur les jolies femmes. Il en est, cependant, à qui on peut faire confiance. Vous devez être très épris de miss Dillaway, monsieur Gates ?

M. Moto avait parlé sur un ton de franchise amicale qui lui était très inhabituel. Calvin n'eût pas deviné ce côté humain chez ce petit homme qui était peut-être un sentimental, contraint de vivre dans un monde trouble où la mort le menaçait à chaque pas.

— Oui, reprit M. Moto, il faut leur faire confiance quelquefois. J'espère seulement que vous n'allez pas vers une déception.

Calvin répondit, presque malgré lui :

— Que je sois très épris d'elle ou non, monsieur Moto, c'est la même chose : je veux m'en aller d'ici !

M. Moto sourit.

— Je vous comprends fort bien, dit-il. Vous

obéissez aux lois non écrites de la chevalerie. Nous avons, nous aussi, au Japon, un code de l'honneur. Il nous fait faire bien des choses à quoi nous ne sommes pas obligés. C'est à cause de lui que le major Ahara voulait se donner la mort...

M. Moto soupira.

— Je regrette bien, monsieur Gates, qu'il en soit resté à l'intention. C'est un homme qui peut beaucoup de choses sur le plan politique. Il représente la fraction la plus exaltée, la plus bouillante, du parti militaire et il tient énormément à cet étui à cigarettes. Le gouvernement m'a envoyé ici pour juger la situation et j'ai qualité pour décider de l'opportunité de certaine opération militaire et en prendre la direction. C'est à cause de ma modération que le major est furieux contre moi...

Mettant de l'ordre dans les papiers qui se trouvaient sur son bureau, il ajouta :

— Je suis ravi, monsieur Gates, de bavarder avec vous... et de dire toutes ces choses à un étranger. Vous vous demandez sans doute pourquoi je vous fais ces confidences ?

— J'imagine que vous avez pour cela une raison.

La réponse parut satisfaire M. Moto, qui reprit, souriant :

— C'est uniquement, monsieur Gates, parce que vous m'avez exprimé le désir de m'accompagner. Vous pourriez m'être utile, mais il est absolument nécessaire que vous vous rendiez compte qu'il s'agit d'une affaire sérieuse, où la vie humaine compte peu. Vous me comprenez ?

— Je vous obéirai en tous points, du moment que je m'en vais d'ici. Ce qui arrivera ensuite, ça m'est égal !

— « Ensuite » ? Voulez-vous dire par là que vous serez trop... compromis pour pouvoir espérer ensuite faire quoi que ce soit d'autre ? C'est en somme comme si je vous avais offert... Pardonnez-moi !

Un domestique japonais venait d'entrer dans la pièce. Il avait couru et ce fut d'une voix haletante que, du seuil, négligeant les politesses ordinaires, il s'adressa à M. Moto, qui s'était vivement porté à sa rencontre. M. Moto, dont le visage s'était assombri, répondit par quelques mots brefs et, l'homme sorti, revint vers Calvin.

— Fâcheuse nouvelle ! dit-il.

— Que se passe-t-il ? demanda l'Américain.

M. Moto avait retrouvé son visage impassible.

— Le général qui dirige le contre-espionnage, expliqua-t-il, vient d'arriver dans la cour avec des soldats.

Calvin esquissa un geste vers la poche de son veston. M. Moto lui mit la main sur le bras et reprit, dans un murmure :

— Soyez prudent, je vous en supplie ! Je ne suis sûr de rien, mais il s'agit peut-être d'une « liquidation ».

— D'une « liquidation » ?

— Oui. Il est possible qu'ils aient décidé d'en finir avec moi. Asseyez-vous dans le fauteuil où vous étiez tout à l'heure, monsieur Gates, et versez-vous un peu de wkisky, je vous en prie ! Vous avez toujours votre automatique ? Parfait. Le général va venir ici. Il sera seul, certainement. Je lui parlerai. Vous me regarderez avec attention. Si je frotte mes mains l'une contre l'autre, comme ceci, vous serez très aimable de tirer tout de suite sur le général.

— Tirer sur le général ?

— S'il vous plaît. Si je me frotte les mains... N'hésitez pas et, à son arrivée, ne vous levez pas ! Le général est un homme charmant... Si je me frotte les mains, n'est-ce pas ?

Calvin Gates s'assit. Son cœur se mit à battre un peu plus vite quand il entendit un pas résolu

sonner de l'autre côté de la porte sur les briques de
la cour. Peu après, le général entrait. C'était un
petit homme, en uniforme kaki, qui, malgré ses
bottes et sa buffleterie, ressemblait plus à un professeur qu'à un soldat : il portait de grosses lunettes
et semblait ne pas avoir de menton.

M. Moto, les mains croisées sur sa poitrine,
s'inclina respectueusement devant lui. L'officier
prononça quelques mots en japonais. M. Moto répondit en anglais :

— Je suis charmé de vous voir, mon cher général,
absolument charmé. Mais, si vous le voulez bien,
nous nous entretiendrons en anglais. J'en suis navré,
mais ce gentleman ne comprend pas le japonais et
votre anglais, général, est excellent.

Le général, assez surpris, examina Calvin Gates
à travers ses verres.

— Il n'y a pour cela aucune raison, répliqua-t-il.
Je suis venu pour avoir avec vous un entretien
particulier. Pourquoi cet homme est-il ici ?

— Je l'ai amené ici, Excellence, parce que je l'ai
jugé nécessaire.

Le général fronça le sourcil.

— Vous n'auriez pas dû. Cet homme a insulté
l'armée.

— Vous m'en voyez navré, mon cher général.
Vous connaissez ma position. Vous avez vu les
ordres ?

L'officier regarda M. Moto d'un air courroucé.
Il était évident qu'il eût été heureux de lui dire un
certain nombre de choses et qu'il se contenait.
Brusquement, il se mit à parler en japonais. Ses
mots claquaient comme des coups de fouet et il
ponctuait ses phrases en frappant son poing droit
dans sa paume gauche. M. Moto écoutait avec
attention.

— Je suis navré... navré pour vous, mon cher
général.

Il avait répondu en anglais. Le général avait blêmi. Il se lança dans une nouvelle tirade. M. Moto en attendit la fin avec patience.

— Je suis navré, répéta-t-il alors, toujours en anglais. Vous ne pouvez arrêter cet homme, mon cher général, et les raisons qui s'y opposent, je suis obligé de les garder pour moi. Je suis désolé pour le major Ahara.

Le général allait répliquer, mais M. Moto tira de sa poche de poitrine un document frappé d'un sceau de cire rouge, sur lequel, d'un geste empreint de respect, il attira l'attention de son interlocuteur. Il reprit :

— Je suis navré, mon cher général. Je serais très triste d'avoir à rendre compte que, connaissant ceci, vous avez désobéi. J'ai tous les pouvoirs, la chose est incontestable.

M. Moto remit le papier dans sa poche. L'attitude du général était maintenant tout autre. Il prononça, en japonais, quelques phrases qui, à en juger par leur ton, ne pouvaient être que d'excuse, puis, s'approchant de la carte posée sur la table, désigna du doigt, tout en parlant, certains points marqués par des épingles. M. Moto, les mains croisées derrière le dos, écoutait ses explications. Son regard ayant rencontré celui de Calvin Gates, il lui sourit.

— Désolé, dit-il quand le général eut terminé. Aucune troupe ne doit bouger. Je comprends fort bien, mon cher général, les motifs de votre anxiété, mais les instructions ont été transmises à l'état-major au cours de la nuit dernière. Aucun mouvement de troupes ne doit avoir lieu pour le présent.

Le général se répandit en un nouveau torrent de paroles que M. Moto laissa passer avec courtoisie.

— Je suis navré, général, que nous ne soyons pas du même avis. Ce que vous me dites au sujet des intentions russes, je le sais. Les ordres restent les mêmes. Rien ne doit bouger. Je suis absolument désolé.

Le général ne répondit pas. Il dévisagea longuement M. Moto, puis, tournant vivement les talons, quitta la pièce à grandes enjambées. M. Moto vint vers Calvin Gates, qui s'était levé.

— Ces militaires, dit-il, sont d'une susceptibilité vraiment excessive. Après le major Ahara, c'est le tour du général. Il est si vexé que je ne serais pas surpris qu'il décidât de mettre fin à ses jours. Cela me ferait énormément de chagrin.

Calvin réprimait avec peine son envie de rire.

— Je sais, poursuivit M. Moto. La chose vous paraît cocasse. Vous ne comprenez pas... et, pourtant, j'ai cru me rendre compte, tout à l'heure, que la notion de l'honneur du nom ne vous était pas tout à fait étrangère.

Calvin s'excusa d'un mot.

— Quoi qu'il en soit, reprit M. Moto, j'ai bien peur, maintenant, de ne pouvoir faire autrement que de vous emmener. Je ne pourrais vous laisser ici, même si vous le désiriez. Le général risquerait, dans un moment d'oubli, de commettre des actes regrettables.

M. Moto alla se pencher sur la carte. Il continua :

— Nous allons partir sans tarder, car il serait de notre part imprudent de demeurer ici plus longtemps. L'avion nous attend à l'aérodrome. Puis-je vous demander de venir jeter un coup d'œil sur la carte ? Cela, je pense, vous intéressera.

Calvin, qui ne savait s'il devait être flatté ou inquiet de la confiance que M. Moto semblait lui témoigner, s'approcha. Bien que les inscriptions portées sur la carte fussent en japonais, il ne pouvait pas ne pas comprendre ce qu'elle représentait. Il reconnaissait, dans le bas, la ville de Peiping et une ligne noire, figurant le tracé de la voie de chemin de fer qui s'en allait vers le nord, à travers une région montagneuse.

— Ceci, dit M. Moto, le doigt pointé sur la carte, c'est le plateau de Mongolie. Un pays aride, celui-là même d'où sont parties les tribus barbares qui, en des temps très reculés, ont conquis la Chine. Vous remarquerez qu'il n'est pas tellement éloigné de Peiping. Au delà des montagnes, voici la Mongolie intérieure et, plus loin, au nord, la Mongolie extérieure, une république qui se trouve pratiquement sous la domination russe. Vous me suivez ?

— Très bien ! Continuez, je vous en prie.

— C'est un plaisir que de vous expliquer quelque chose, monsieur Gates. La Mongolie extérieure, vous le voyez, est placée entre la Chine du nord et la Mongolie extérieure. Je vais maintenant être très franc avec vous : cette Chine du nord, il est essentiel, pour l'avenir économique de l'Empire nippon, qu'elle soit sous l'influence du Japon.

— Vous ne m'apprenez rien, dit simplement l'Américain. Tout le monde sait que vous allez lui mettre la main dessus !

M. Moto fit une grimace chagrine.

— Que voilà, s'écria-t-il, une vilaine façon de dire les choses ! Des territoires, les Etats-Unis, je m'excuse de le rappeler, en ont annexé. L'Empire britannique s'est emparé de la moitié du globe. Pourquoi le Japon, qui est une grande nation, ne s'autoriserait-il pas de ces exemples ? D'ailleurs, il ne s'agit pas de conquête, mais de collaboration cordiale avec les Chinois. Nous leur donnerons des conseils pour la mise en valeur de leur pays, nous les aiderons... et je suis sûr que vous me comprenez parfaitement. Malheureusement, il y a en Chine de puissants éléments nationalistes avec lesquels l'entente est malaisée. Ils ont repoussé nos propositions quand nous leur avons offert nos armées pour pacifier le pays et il nous est difficile de rien obtenir d'eux, surtout lorsque nous avons affaire à des Chinois qui ont fait leurs études aux Etats-Unis. Pardonnez-moi de le dire avec franchise !

— Ils estiment peut-être, fit remarquer Calvin Gates, que les Chinois sont assez grands pour se gouverner eux-mêmes.

— C'est ce qu'ils pensent, en effet, et il nous faut les convaincre qu'ils ont intérêt à collaborer avec nous. Pour cela, on croit, dans les sphères gouvernementales, qu'il nous faudra montrer notre force.

— Vous voulez dire qu'il y aura une guerre ?

— Pas nécessairement. Une occupation militaire, sans plus. Il est bien dommage que les grandes puissances ne nous comprennent pas.

Le doigt de nouveau pointé sur la carte, M. Moto poursuivit :

— Supposons, par exemple, que la chose ne plaise pas à la Russie. Notre démonstration militaire pourrait l'inciter à faire avancer des troupes en Mongolie intérieure. Il serait pour nous très important d'avoir là-dessus une certitude. Vous voyez cette ligne de collines ? C'est Ghuru Nor. Si la Russie décide de faire quelque chose, elle occupera la région. Regardez maintenant sur la droite. Ces épingles représentent trois divisions de l'armée japonaise qui se trouvent actuellement sur le plateau de Mongolie. Vous avez entendu le général ? Il veut qu'elles aillent sans attendre prendre position à Ghuru Nor. Il considère que c'est là une mesure de protection qu'il est indispensable de prendre avant que ne commence cette... démonstration militaire dont je viens de vous parler.

— Je ne l'en blâmerais pas.

— Je vous remercie pour lui, monsieur Gates. Vous avez l'esprit militaire. J'en arrive maintenant à l'étui à cigarettes. Le service de contre-espionnage russe sait le jour exact où les mouvements de troupes japonais commenceront. C'est au moyen de

l'étui à cigarettes qu'il communique le renseignement à qui doit le recevoir. La position des petits
oiseaux permet de dire la date. Voulez-vous me
permettre d'être franc ? Il y aura un incident après-
demain.

M. Moto souriait, apparemment ravi. Calvin
Gates était stupéfait.

— Du diable si je comprends ! s'écria-t-il. Vous
savez ça et vous laissez parvenir le message ?

M. Moto approuva de la tête.

— Exactement... Je suis heureux que vous me
compreniez si bien ! La chose a dû vous intriguer
beaucoup. Je tiens essentiellement à ce qu'un certain personnage russe reçoive le message qui lui
apprendra le jour exact, et même l'heure, de notre
démonstration, et à ce qu'il soit bien persuadé que
le renseignement est valable et qu'il ne s'agit pas
d'un piège. Je suis ravi que vous m'ayez compris.

Calvin Gates avait entendu parler des subtilités
de l'âme orientale. Les propos de M. Moto lui
semblaient une éclatante confirmation de tout ce
qu'on lui avait dit à ce sujet.

— J'imagine, dit-il, que vous avez quelque raison
d'agir comme vous le faites ?

— C'est exact, répondit M. Moto. J'ai une raison.
Je ne suis qu'un modeste individu, mais j'ai le
grand bonheur d'avoir la confiance d'un personnage
très auguste. Vous m'avez entendu parler au général ?
Vous voyez ces petites épingles sur la carte ? D'après
les ordres donnés par l'état-major, elles auraient
dû être déplacées aujourd'hui. Nos forces, dès hier,
devaient être mises en mouvement et avancer vers
Ghuru Nor. J'ai usé de mon autorité, aujourd'hui,
pour donner le contre-ordre. Ces épingles ne bou-
geront pas avant que je n'aie prononcé les paroles
nécessaires. Je représente un personnage très
auguste. Vous comprenez ?

— Qui ? demanda Calvin Gates. L'empereur du Japon ?

M. Moto eut un sursaut.

— Je ne puis vous permettre, monsieur Gates, de le nommer. J'ai dit « un personnage très auguste ».

— Ainsi, vous laissez passer le message et vous empêchez votre armée de bouger ?

— Exactement. Elle ne le fera que lorsque j'en donnerai l'ordre.

— Ça ne m'étonne pas que les militaires aient envie de vous tuer !

— Je suis heureux, monsieur Gates, que vous me compreniez. Je n'ai pas parlé pour rien... et la chose vous concerne. Nous sommes actuellement à Peiping. Dans quelques minutes, nous prendrons quelques vivres et nous nous en irons à l'aérodrome, où l'avion nous attend qui nous emportera vers le nord. Nous atterrirons près de cette ville qui est de l'autre côté des montagnes. C'est Kalgan. C'est de là que partent toutes les caravanes qui se dirigent vers la Mongolie. Le capitaine Hamby y arrivera aujourd'hui, assez tôt dans la soirée. J'ai bien peur que nos services de contre-espionnage ne sachent déjà que le capitaine et miss Dillaway ont l'étui à cigarettes en leur possession. Vous me suivez ?

— Jusqu'à présent, oui.

— Fort bien. Je suis enchanté que le capitaine Hamby s'imagine que vous travaillez pour moi et c'est parce que je vais de nouveau me servir de vous que je vous emmène. Je sais où le capitaine Hamby se rendra dès son arrivée à Kalgan.

— Et vous n'aurez rien de plus pressé que d'aller le retrouver ?

— Attendez, monsieur Gates, je vous en prie ! Celui qui ira retrouver le capitaine Hamby, ce n'est pas moi, c'est vous ! Vous venez à Kalgan par amitié pour miss Dillaway et aussi parce que le capitaine vous a fait une offre de trois mille dollars. Je suis sûr qu'il sera très heureux de vous voir. Vous lui direz tout ce que je vous ai dit et tout ce que vous voudrez sur mon humble personne. Vous l'intéresserez beaucoup. La seule chose que vous ne lui direz pas, s'il vous plaît, c'est ce que signifie le message porté sur l'étui à cigarettes.

— Mais où voulez-vous en venir ? J'aimerais...

M. Moto cessa de sourire et coupa la parole à Calvin Gates.

— Je ne vous demande pas de comprendre, monsieur Gates, je vous prie seulement de faire ce que je vous dis. Vous regretteriez tant de ne pas le faire ! Vous avez tué un sujet japonais, monsieur Gates !

Calvin Gates eut un mouvement d'humeur.

— Inutile de me menacer ! Vous voulez que je dise à Hamby ce que je pense de vous ? Je le ferai avec joie ! Mais, à votre place, je me méfierais de sa réaction.

— Vous êtes très gentil de me prévenir, vraiment très gentil, et je vous remercie infiniment. Là-dessus, je crois qu'il est temps de partir. Si je vous ai froissé, pardonnez-moi ! Je suis navré.

M. Moto prit une petite mallette posée sur son bureau.

— Vous êtes bien sûr, demanda Calvin Gates, que vous voulez que je raconte tout à Hamby ?

— Oui, répondit M. Moto. Je suis désolé que nous n'ayons pas le temps de déjeuner. Nous mangerons des sandwiches dans l'avion.

Calvin ne songeait guère à se restaurer. Il pensait au capitaine Hamby, lequel savait veiller sur sa sécurité personnelle et n'était pas homme à tomber dans un piège.

— Bien ! dit-il. Vous m'en voyez désolé *pour vous*, monsieur Moto.

## 15

Que le Japon eût mis la main sur Peiping, Calvin Gates eut tout loisir de le constater dans la demi-heure qui suivit. La ville, encore que dépendant nominalement du gouvernement central chinois, était déjà sous contrôle japonais et, de toute évidence, les fonctionnaires chinois collaboraient avec les Nippons.

La voiture, qui n'avait pas été arrêtée une fois en cours de route par les agents dirigeant la circulation aux carrefours, franchit les murs d'enceinte, gagna l'aérodrome et, pénétrant sur le terrain, vint s'immobiliser à quelques mètres d'un petit avion, dont le moteur tournait au ralenti. Le pilote, un Japonais, était à son poste.

Quelques minutes plus tard, l'avion avait pris l'air. M. Moto, maintenant avare de paroles, ouvrit une boîte de carton qui contenait des sandwiches et en offrit un à Calvin, qui l'accepta. Le Japonais invita son compagnon à regarder le paysage, consulta sa montre — il était deux heures et demie, — croisa ses mains devant lui et ferma les yeux.

Calvin Gates songeait. Que faisait-il dans cet avion ? Réponse : il était là parce qu'il désirait rencontrer un certain Gilbreth, pour avoir avec lui un entretien dont il ne pouvait, lui, rien attendre de bon et parce qu'il s'intéressait au sort d'une jeune femme qu'il ne connaissait que depuis quarante-huit heures et à qui il ne devait rien. Il y avait, dans tout cela, de quoi faire douter de son bon sens. Il était clair que, lorsque tout serait terminé, Calvin Gates ne serait plus qu'un aventurier miteux, perdu aux confins d'un monde en proie au délire guerrier. Il se trouvait engagé dans une partie aux règles mal définies et variables. Il ne pouvait pas ne pas perdre. Mais il ne pensait pas à l'abandonner et se regardait, au contraire, aller vers son destin avec une sorte de curiosité parfaitement objective. On eût dit qu'il ne s'agissait pas de Calvin Gates, mais d'un autre.

La ville de Peiping avait semblé s'aplatir peu à peu sur le sol. Il avait vu disparaître les toits jaunes de la Cité Interdite, les temples, avec leurs lacs et leurs jardins, la « Drum Tower » et la « Bell Tower », et l'avion survolait maintenant une campagne aride et dénudée, où l'on apercevait de loin en loin des villages et des palais, derniers vestiges de la vieille Chine de jadis. Puis, ce fut une masse de montagnes chaotiques, perdues dans un brouillard jaunâtre, une terre sauvage et rude, apparemment dépourvue de toute espèce d'intérêt et pour laquelle pourtant des hommes se battaient déjà aux temps les plus reculés de l'histoire.

M. Moto ouvrit les yeux, jeta un coup d'œil par la vitre, toucha le bras de son compagnon et dit :

— Le défilé de Nankow... Très intéressant... Nous survolons la Grande Muraille.

On la reconnaissait très distinctement, serpentant sur les sommets, avec ses innombrables tours de garde. Sur le même ton impersonnel, parlant comme un guide de l'Agence Cook, M. Moto ajouta :

— La vieille Muraille est un peu plus au nord, près de Kalgan... Extrêmement intéressant.

L'avion avait pris de la hauteur et le paysage changeait maintenant avec une désespérante lenteur. Calvin aperçut au loin une région parsemée de taches jaunes et vertes qui indiquaient des espaces cultivés.

— La Mongolie, dit M. Moto. Nous devrions être à Kalgan dans quelques minutes.

L'avion — qui, en une heure à peine, avait accompli un trajet qui, autrefois, demandait huit jours aux caravanes — perdait de l'altitude, descendant vers une large vallée au delà de laquelle se dressait un rempart de collines pourprées.

— Kalgan, dit M. Moto.

Calvin Gates distinguait une gare, des rues étroites, des toits gris couverts de tuiles et de grandes enceintes fermées par de hauts murs de terre.

— Ce sont, expliqua M. Moto, les vieux entrepôts, utilisés au temps où les caravanes allaient de Kalgan à Urga. Très intéressant... Celui-ci appartient à une compagnie qui fait des affaires avec la Mongolie et qui est dirigée par un certain M. Holtz. C'est là que le capitaine Hamby se rendra tout à l'heure, à sa descente du train. On l'y attend avec impatience. On y est anxieux de voir l'étui à cigarettes...

L'avion se posa sur un terrain rudimentaire. Une automobile était là, dont le conducteur, un Japonais, vint au-devant de M. Moto, avec qui il échangea quelques phrases en japonais.

— Il est très heureux que nous n'ayons pas perdu de temps, dit M. Moto à Calvin Gates. Nous pourrons ainsi nous reposer un peu. Nous allons au China Hotel, un excellent hôtel. Montez, je vous prie !

Calvin Gates obéit. L'hôtel consistait en une cour malpropre entourée de petits bâtiments. Un vieux Chinois, dont la robe noire aurait eu besoin d'un sérieux nettoyage, conduisit les voyageurs à deux petites chambres ressemblant, l'une et l'autre, à des cellules. Il y avait, dans chacune, un lit, une chaise et une cruche pleine d'eau. Des mouches innombrables pénétraient par la fenêtre ouverte.

— Voici votre chambre, dit M. Moto. Installez-vous et reposez-vous ! Il ne serait pas sage de sortir maintenant et nous n'avons rien à faire dehors avant le coucher du soleil.

Calvin, découvrant soudain qu'il était fatigué, s'allongea sur le lit étroit de sa cellule. Il était satisfait : il se trouvait enfin là où il avait voulu. Le monde civilisé n'allait pas plus loin. Au delà des collines qui encerclaient la ville, il n'y avait plus de cités, mais seulement, désertique et accidenté, l'immense plateau de l'Asie Centrale, demeuré à peu près tel qu'il était aux premiers âges de l'humanité.

Il faisait presque nuit quand il ouvrit les yeux. Quelqu'un l'avait éveillé en lui frappant sur l'épaule. M. Moto était devant lui.

— Vous avez bien fait de dormir, lui dit le petit Japonais. On va nous apporter du thé et des sandwiches. Le train est arrivé. Le capitaine Hamby et miss Dillaway sont à Kalgan.

Calvin se leva. Il eut l'impression que M. Moto, encore que sa voix fût aussi douce qu'à l'accoutumée, était préoccupé.

— Vous êtes toujours prêt à faire ce que je vous ai dit ? demanda M. Moto.

— Je vous ai promis, n'est-ce pas ? répondit Calvin.

M. Moto joignit les mains et s'inclina.

— Je suis tellement heureux, monsieur Gates, de pouvoir vous faire confiance !

— Que dois-je faire ?

— Nous allons commencer par prendre le thé. Ce que je désire avant tout, c'est que vous ne vous étonniez de rien !

— Soyez tranquille ! Rien ne saurait plus me surprendre !

— J'en suis fort heureux pour vous, monsieur

Gates. Un « boy » vous attendra, qui vous conduira
auprès du capitaine Hamby, lequel réside chez ce
marchand qui travaille avec la Mongolie. L'homme
s'appelle M. Holtz. Il est très gros, moitié Allemand
et moitié Russe. N'oubliez pas son nom.

— Je me souviendrai.

— Ce M. Holtz, poursuivit M. Moto, vit dans une
maison entourée de murs élevés. Les choses, ici,
sont si incertaines que les hommes d'affaires doivent
prendre des précautions. Votre guide vous accompagnera jusqu'à la porte d'entrée. Vous frapperez
et vous appellerez le capitaine Hamby. Vous cau-
serez quelque surprise, mais je suis certain qu'on
vous mènera à lui. Vous serez très franc avec lui
et vous lui direz exactement, je vous prie, ce que je
vous ai prié de lui dire.

Calvin Gates haussa les épaules d'un mouvement
impatient.

— Si vous me précisiez un peu ce que vous
attendez de moi ?

M. Moto répondit avec calme :

— Si vous voulez ! Le capitaine Hamby doit comprendre que vous avez travaillé pour moi et que vous
y avez renoncé. Vous m'avez échappé. Vous avez
entendu dire qu'il était chez M. Holtz et vous venez
le trouver, un peu parce que vous ne pouvez plus
me voir, mais surtout parce que vous croyez pouvoir faire de l'argent en lui racontant tout ce que
vous savez sur moi. Ajoutez que vous êtes inquiet
au sujet de miss Dillaway, dites aussi que les Blancs
doivent se sentir les coudes et ce sera parfait ! Il
aura compris.

— Les Blancs doivent se sentir les coudes ! répéta
Calvin Gates.

M. Moto, qui ne le quittait pas des yeux, poursuivit :

— Vous ne manquerez pas, je vous prie, de lui
signaler que j'ai pleins pouvoirs en ce qui concerne

l'armée et qu'elle ne saurait bouger que je n'en aie donné l'ordre. Vous ajouterez, c'est extrêmement important, que vous m'avez laissé seul au China Hotel. Vous n'oublierez rien de tout cela, monsieur Gates ? Vous avez l'air bien sombre ?

M. Moto ne se trompait pas. Mais ce n'était pas seulement l'expression de physionomie de Calvin qui s'était modifiée, c'était l'homme lui-même qui avait changé. Il n'était plus le Calvin Gates qui avait quitté New-York quelques semaines plus tôt, ni même celui qui, il y avait quelques heures à peine, avait passé une sorte de marché avec M. Moto. Il avait découvert quelque chose qui lui faisait voir le monde sous un aspect tout neuf, quelque chose qui lui mettait en tête une quantité d'idées dont il ne soupçonnait rien auparavant. Il avait l'impression de s'éveiller d'un sommeil qui avait duré des années.

— Pourquoi ne répondez-vous pas ? demanda gentiment M. Moto.

Calvin Gates resta muet. L'homme qu'il avait été jusqu'alors, il le découvrait maintenant. Par la faute de M. Moto, qui prétendait le manœuvrer comme une pièce sur un échiquier ou, mieux, comme une marionnette. C'était exactement cela ! Toute sa vie, il avait été une marionnette dont quelqu'un tirait les ficelles et jamais, ces ficelles, il ne s'était senti assez grand pour les attraper et les couper.

— Au diable toutes vos histoires ! s'écria-t-il brusquement.

M. Moto le dévisagea de ses petits yeux perçants.

— Vous dites ? demanda-t-il doucement.

— Au diable vos histoires ! J'en ai assez de n'être qu'un pantin !

Calvin, maintenant, voyait clair en lui-même. Il poursuivit :

— Vous ne me ferez pas faire vos courses ! Je pourrais mentir et vous répondre que vous pouvez compter sur moi, mais je veux vous dire la vérité. Jusqu'à présent, j'ai toujours laissé les autres penser pour moi. Vous voyez où ça m'a mené. Je me suis toujours laissé porter par les événements, sans jamais réfléchir, m'en remettant toujours aux autres du soin de décider à ma place. Maintenant, c'est fini ! Vos ordres, Moto, reprenez-les et allez au diable ! Je m'en vais. Vous m'entendez ? Je m'en vais... et je ne vous conseille pas d'essayer de m'en empêcher.

— Vous me surprenez beaucoup, dit M. Moto sans hausser le ton.

— Ça m'est égal ! lança Calvin Gates. Vous, vos trucs orientaux, vos majors, vos généraux et votre capitaine Hamby, vous pouvez aller au diable, je le répète ! Je vous ai dit que j'étais tout disposé à voir Hamby, mais je ne reçois pas d'instructions ! Je ferai ce qui me plaira, parce que cela me plaît à moi ! Ce qui vous plaît, à vous, je m'en fiche ! Pour la première fois de ma vie, je vais faire ce qui me plaît uniquement parce que cela me fait plaisir, et non pas parce que c'est bien ou pour quelque autre raison !

M. Moto hocha la tête.

— Si vous saviez, mon cher monsieur Gates, comme je vous comprends !

Calvin fit un pas vers lui. M. Moto ne bougea pas.

— Croyez-vous, monsieur Gates, reprit M. Moto, qu'il soit bien nécessaire de vous fâcher parce que vous découvrez sur vous-même quelques évidentes vérités ? Je suis seul et je n'ai pas d'armes. Du moment que vous voyez le capitaine Hamby...

Calvin lui coupa la parole.

— Vous ne m'avez pas entendu ? Je vous ai dit que vous pouviez aller au diable, vous et votre Hamby ! Je le verrai et je lui dirai ce que je pense de vous et ce que je crois que vous manigancez ! Là-dessus, je vous prie de me laisser passer !

M. Moto, après une seconde d'hésitation, s'écarta.

— Mon cher monsieur Gates, je n'ai nullement l'intention de vous barrer le chemin. Je pourrais essayer, mais je suis tellement heureux de vous voir faire ce que vous voulez faire ! Le « boy » est dehors, qui vous attend.

Souriant, il ajouta :

— J'espère seulement que ce que vous voulez faire est aussi ce que je souhaite vous voir faire.

Calvin Gates fronça le sourcil.

— A votre place, dit-il, je ne serais pas tellement sûr de ça !

## 16

M. Moto soupira.

— Il est très intéressant, dit-il, de voir combien les gens peuvent changer. Je suis heureux de penser, monsieur Gates, que je suis pour quelque chose dans votre transformation. L'important, voyez-vous, c'est, avant de penser à ce que l'on doit faire, de savoir ce que l'on veut. On s'arrange ensuite pour que les événements se conforment à votre désir. Je suis content que vous ayez compris cela et je serais très honoré de vous serrer la main. Je parle en toute sincérité, monsieur Gates.

— Pourquoi ne dites-vous jamais ce que vous pensez, monsieur Moto ? demanda Calvin. Ça n'a pas d'importance, d'ailleurs. Je ne croyais pas que vous prendriez les choses aussi bien que vous le faites.

— Je vous assure, monsieur Gates, que je ne vous en veux pas. Je vous tiens pour un homme délicieux et, je le répète, je serais honoré de vous serrer la main.

Calvin Gates, sans mot dire, tendit sa droite au petit Japonais, qui la pressa avec chaleur.

Dehors, un « boy » chinois attendait. Calvin le suivit. L'air était frais. Dans la rue, la silhouette des maisons se découpait sur le ciel sombre et Calvin eut comme la sensation physique de la vie étrange et mystérieuse qui palpitait derrière les murs qu'il longeait. Ils suivirent une longue avenue commerçante, bordée à droite et à gauche de boutiques brillamment éclairées et surmontées d'enseignes rédigées en langue chinoise. Des *rickshaws* passaient. Parfois, la voix de la radio dominait le chant des oiseaux en cage. Ils traversèrent un pont qui enjambait une petite rivière dans laquelle des femmes lavaient du linge, s'engagèrent dans une petite rue et marchèrent pendant une dizaine de minutes encore. Soudain, le « boy » s'immobilisa, tendit le bras vers une lourde porte de bois qu'on apercevait à quelque distance et dit :

— C'est là !

L'instant d'après, il avait disparu. Calvin Gates considéra le haut mur de boue séchée qui allait se perdre dans l'obscurité de la rue, plus loin que ne pouvait porter le regard. Alentour, aucun signe de vie. Il eut l'impression de se trouver devant une forteresse, au cœur du moyen âge.

Il approcha et tira un cordon qui pendait à droite, le long du mur. Une cloche tinta lugubrement. Peu après, dans une petite porte découpée dans la grande, un guichet glissa. Calvin vit deux yeux qui l'examinaient et entendit une voix qui lui disait quelque chose en une langue pour lui incompréhensible. Criant presque, il répondit :

— Hamby ! capitaine Hamby !

Puis, persuadé qu'il se ferait mieux entendre, il ajouta :

— Holtz ! Ghuru Nor !

Le guichet se referma. Calvin se précipita de nouveau sur le cordon et tira avec autant d'énergie que d'insistance. La cloche sonna longuement. Une sorte de colère montait en lui : il était furieux d'être là, plus encore d'y avoir été amené par une succession d'événements qui l'avaient pris comme dans un filet. Il lança un coup de pied dans la porte... et ne la rencontra pas : quelqu'un l'ouvrait au même moment et ce fut en trébuchant qu'il entra, péné-

trant par une demi-chute dans un monde dont
l'étrangeté le surprit dès le premier instant.

Il était dans un étroit passage voûté qui conduisait à une place assez grande pour servir de terrain
de manœuvre à la garnison d'une forteresse. A la
lueur des torches fixées au mur par des anneaux,
il apercevait, à droite et à gauche, deux pièces,
creusées dans l'épaisseur même des murs et bai-
gnant dans une lumière jaunâtre. L'air sentait la
résine, le beurre rance et le suint. Dans la pièce de
droite, de solides gaillards, nus jusqu'à la ceinture,
entretenaient le feu sous une immense marmite où
cuisait un ragoût de mouton. Dans l'autre, assis
par terre, des hommes mangeaient, puisant avec
leurs doigts dans des bols placés devant eux. Calvin
entrevit des faces luisantes, aux pommettes sail-
lantes et au nez aplati, des nattes huileuses, des
chapeaux graisseux, de longues robes, des amulettes
en argent et de lourdes bottes à bout pointu. Il
comprit qu'il était passé du monde civilisé au monde
barbare, que la porte qu'il venait de franchir ouvrait
sur le Turkestan et qu'il assistait au repas du soir
d'un groupe de Mongols.

Il n'eut pas le temps de s'attarder à cette curieuse
vision : deux personnages étaient devant lui, qui
réclamaient son attention. Le premier, très grand,
portait une longue robe à vastes manches et des
bottes pointues, recourbées à leur extrémité. Il
avait, glissé dans sa ceinture, un poignard à manche
d'argent. Le second était plus facile à situer : c'était
un énorme Allemand, au crâne rasé et à la panse
rebondie. Il était en pantoufles et sa chemise s'ouvrait largement sur sa poitrine velue. Ses yeux appa-
raissaient minuscules dans son visage à bajoues et
il transpirait abondamment. Il s'essuya le front avec
un mouchoir de cotonnade bleue et dit :

— Alors ?

Il avait un horrible accent germanique et sa voix

gutturale semblait si menue qu'on avait peine à croire qu'elle sortît d'un corps de si imposantes dimensions. Il poursuivit :

— Je m'appelle Holtz et je voudrais bien savoir pourquoi vous faites tout ce tapage à ma porte. C'est dans la journée que nous travaillons. Qu'est-ce que vous voulez ?

— Je veux parler à Hamby, répondit Calvin. Au capitaine Sam Hamby. Il est venu ici en descendant du train.

M. Holtz s'épongea le front de nouveau et cria, de toute la force de ses poumons, quelques mots qui firent taire tout le monde.

— Ces sacrés chameliers ! dit-il ensuite. Il n'y a pas moyen de les empêcher de parler !

Revenant à Calvin, il reprit :

— Ainsi, c'est Hamby que vous désirez voir ? Pourquoi ? Qu'est-ce que vous lui voulez ?

— Je viens de la part de M. Moto, déclara Calvin. J'ai besoin de voir Hamby immédiatement. C'est important.

Le gros homme émit un grognement et ses petits yeux étincelèrent au-dessus des bourrelets de chair derrière lesquels ils disparaissaient presque. Sa corpulence n'avait pas fait de M. Holtz un homme aimable. Il adressa quelques mots au grand Mongol qui l'accompagnait. L'autre tourna les talons et s'éloigna vers le fond du couloir. M. Holtz dévisagea Calvin Gates. Son nez camus avait l'air d'un bouton sans consistance piqué entre les deux coussins rouges de ses joues.

— Très bien ! dit-il. Vous voulez voir Hamby ? On va vous l'amener. Au diable les Japonais ! Ils sont aussi embêtants que les puces et on les voit partout ! Nous en avions déjà par-dessus la tête avec les seigneurs, il faut maintenant que nous ayons aussi les Japonais !

Il cracha et conclut :

— Il me font mal au ventre !

Il le répéta, pour qu'on n'en pût point douter. M. Holtz n'était pas distingué, mais il avait, aux yeux de Calvin Gates, une grande qualité : il s'exprimait nettement. Après M. Moto, c'était un heureux changement.

— Où sommes-nous, ici ? demanda Calvin.

M. Holtz fit entendre une sorte de râle avant de répondre.

— Ce serait donc la première fois que vous venez par ici ? A vous voir, ça se pourrait bien ! Vous êtes dans les magasins de la société Holtz et Compagnie, spécialisée dans le commerce avec la Mongolie. Demandez à n'importe qui à Peiping qui est Holtz, on vous le dira ! A Tien-Tsin et à Shanghaï également. Holtz achète tout ! Tout ce qu'on est fichu de trouver en Asie Centrale : la laine, la corne d'antilope, les peaux de loup, les bronzes scythes, la poudre d'or, les chameaux, les chevaux, les tapis ! Holtz prépare une caravane qui s'en ira la semaine prochaine avec du thé, des cuirs et des textiles. Il est quand même curieux, l'ami, que vous n'ayez jamais entendu parler de Holtz !

— Tout cela est nouveau pour moi.

— *So ?* dit M. Holtz, revenant à sa langue maternelle.

Après un silence, il continua :

— Nouveau pour vous ? Le commerce par caravanes est le plus ancien du monde. Il était déjà vieux quand Marco Polo est venu par ici et vous ne le connaissez pas ! M'est avis que vous avez beaucoup à apprendre de Holtz et Compagnie. Peut-être que tout ne vous amusera pas, hein ?

Ses petits yeux brillaient de plaisir.

— Qui sait ? dit Calvin. C'est intéressant.

— Intéressant, vous trouvez ? Intéressant de voir des chameliers mongols, des cochons qui ne se sont pas lavés depuis leur naissance, bâfrer leur souper ?

Vous trouvez ça intéressant ? Ah ! voici Son Excellence le capitaine Hamby !

Fredonnant son éternelle chanson, le capitaine Hamby, suivi du Mongol qui était allé le chercher, arrivait par le fond du couloir. Il marchait d'un pas allègre et semblait tout à fait chez lui. Il était tête nue et souriait.

— Alors, Gates, s'écria-t-il du plus loin qu'il aperçut l'Américain, on se retrouve ? Comment diable êtes-vous arrivé à Kalgan ?

— En avion, répondit Gates.

— Voyez-vous ça !... Et vous êtes venu ici pour me voir ? Parfait. Vous avez fait la connaissance de M. Holtz ? C'est une excellente chose. Qu'est-ce que je peux faire pour vous, Gates ?

— Je désirerais vous voir seul pendant cinq minutes.

Le sourire s'élargit sur le dur visage de Hamby.

— Magnifique ! J'ai beaucoup à faire, mais j'ai toujours le temps de bavarder cinq minutes. Monsieur Holtz, je vous présente M. Gates, un charmant homme dont je vous ai déjà parlé.

M. Holtz tendit sa large patte à l'Américain.

— Charmé de vous connaître, monsieur Gates !

M. Holtz était gras, mais très fort. Calvin Gates avait pris la main qui lui était offerte. Quand il comprit ce qui se passait, il était trop tard : son gros visage en sueur à quelques centimètres du sien, l'Allemand, qui lui avait jeté les deux bras autour du corps, le tenait pressé contre lui.

— Charmé de vous connaître ! répéta M. Holtz.

— Ça va, Holtz ! dit Hamby.

L'étreinte se desserra et M. Holtz fit un pas en arrière. Calvin Gates constata que son automatique était maintenant dans la main du capitaine Hamby.

— Il ne faut pas m'en vouloir, Gates, dit Hamby, non plus qu'à M. Holtz, qui est le meilleur cœur de la terre. Prenez ça avec le sourire ! Vous voulez que nous causions ?

Calvin Gates regarda Hamby, puis M. Holtz. Il décida que Hamby avait raison : mieux valait sourire.

— Vous ne pensez tout de même pas, dit-il avec bonne humeur, que je suis venu ici pour m'entraîner au tir ? Je ne suis pas fou. Ce qui m'amène est plus sérieux. J'ai quitté M. Moto il n'y a qu'un instant.

Une flamme passa dans les prunelles du capitaine, mais pas un muscle de son visage ne bougea.

— C'est lui qui vous envoie ? demanda-t-il.

— Oui, répondit Gates, et je vous expliquerai pourquoi.

Hamby, l'automatique toujours à la main, restait muet.

— Parfait ! dit-il au bout d'un instant. Venez avec moi !

Glissant son bras sous celui de Calvin, il ajouta :

— Rien ne vaut la peine qu'on se fasse de la bile, je vous l'ai déjà fait remarquer. Holtz, voulez-vous leur dire de m'attendre et prévenir le prince que je n'en ai pas pour longtemps ?

Calvin emboîta le pas à Hamby. Ils suivirent le couloir et arrivèrent bientôt sur la place que Gates avait aperçue de loin à son arrivée. Elle était immense et tout un petit peuple de travailleurs y grouillait, occupé à faire des ballots ou à mettre dans des boîtes toutes sortes d'articles divers. Au centre, allongés côte à côte, leur long cou dressé au-dessus de leur double bosse, des chameaux attendaient. La lumière orangée des torches et des lanternes éclairait la scène.

— Je n'ai jamais rien vu de pareil ! dit Calvin.

— Ça ne m'étonne pas, répondit le capitaine, et vous ne reverrez pas ça de sitôt ! C'est une des caravanes de Holtz, qui en possède quelque chose comme sept cents. On est en train de procéder au chargement : du thé, des cuirs, toutes sortes de trucs. Holtz veut en faire partir le plus possible avant que les troubles ne commencent. N'approchez pas trop des chameaux, ils pourraient vous donner un coup de dents et leur morsure est terriblement dangereuse. Les magasins sont là-bas, de l'autre côté de la place. Une caravane, c'est l'équivalent d'un train de marchandises. Les chameaux sont en parfaite condition : regardez leurs bosses ! Ils marcheront six jours sans nourriture et sans eau. Ils ne vont pas vite, c'est entendu, mais ils sont rudement ment précieux, surtout aujourd'hui ! Un joli souvenir pour vous, Gates, si vous sortez vivant de cette histoire-là !

Calvin traversa la place au côté de Hamby, s'intéressant à ce qu'il voyait comme un touriste convié à un spectacle curieux. Des Chinois empilaient des « briques » de thé pressé, d'autres manipulaient des monceaux d'étoffes brodées, des caisses remplies de bottes relevées du bout, des balles de textiles ou des ustensiles de cuivre. Par les portes ouvertes des magasins, on apercevait des stocks de peaux et de fourrures qui montaient jusqu'au plafond.

— Cette dernière remarque, demanda Calvin, qu'est-ce qu'elle signifie ?

Hamby, qui s'était remis à fredonner, interrompit sa chanson.

— Ma parole ! s'écria-t-il, vous le savez bien ! Vous êtes venu vous jeter dans la gueule du loup ! Avançons, nous sommes pressés ! La maison d'habitation n'est plus loin.

Contournant les magasins, ils arrivèrent à un groupe de bâtiments blancs, propres et même coquets. Hamby poussa une porte et Calvin pénétra derrière lui dans un bureau brillamment éclairé par une lampe à pétrole, de toute évidence l'endroit d'où M. Holtz dirigeait ses affaires. Il y avait là des tables, des classeurs, des machines à calculer, un matériel moderne qui, après ce qu'il venait de voir, ne pouvait que surprendre quelque peu Calvin Gates.

— Le bureau de Holtz, dit Hamby, qui avait remarqué l'étonnement de son compagnon. Une entreprise comme la sienne, c'est toute une comptabilité ! Et, maintenant, parlons peu, parlons bien ! Je vous écoute, Gates ! Annoncez la couleur !

Le ton était cordial, Hamby souriait, mais le regard était glacé.

— C'est Moto qui m'a amené à Kalgan, répondit l'Américain sans attendre. Mais, si je suis ici, c'est parce que je l'ai voulu, moi. J'ai une proposition à vous faire, Hamby.

— Bravo !

Debout, les mains sur les hanches et les jambes largement écartées, Hamby souriait toujours, mais ses sourcils s'étaient froncés. Il reprit :

— Si je comprends bien, vous avez réfléchi à ce que je vous ai dit dans le train ?... Voyons votre proposition !

Calvin Gates avait pensé que les choses seraient fort simples. Il en était maintenant beaucoup moins sûr.

— Vous m'avez, dit-il, proposé de l'argent pour que je vous révèle les intentions de M. Moto. A ce moment-là, je ne les connaissais pas. Maintenant, je sais ce qu'il veut. Votre offre tient-elle toujours ?

Le sourire de Hamby s'accentua.

— A ce que je vois, vous êtes fatigué de jouer avec les Japonais ? Nous vous paraissons maintenant plus intéressants. C'est bien ça, Gates ?

— C'est bien ça. Ce que je veux, je l'aurai et, vous, Hamby, vous pouvez me le donner, alors que M. Moto ne le peut pas.

Calvin parlait avec une franchise brutale qui était comme l'affirmation de cette transformation qui s'était opérée en lui. Il n'avait pas de remords.

M. Moto s'était servi de lui, il se servait de M. Moto.
Pour la première fois de sa vie, il s'appliquait à
modifier selon ses désirs le cours des événements.

— Ma parole ! s'écria Hamby, voilà un langage
qui me plaît ! Ce que je peux vous donner, Gates,
qu'est-ce que c'est ?

— Rien qui puisse vous ennuyer, répondit Calvin.
Je veux que vous me conduisiez au docteur Gilbreth.
Je suis venu de loin pour le voir. Je veux en outre
que vous me promettiez que miss Dillaway rejoindra
Gilbreth et que vous prendrez les dispositions nécessaires pour que ma sécurité soit assurée auprès de
vous jusqu'à la fin des troubles. Après cette histoire-
là, la Chine et le Japon seront pour moi assez mal-
sains et je me mets de votre côté.

— Je croyais, Gates, que vous n'aviez pas confiance en moi ?

— Pour bien des choses, c'est exact. Mais je ne
vois pas pourquoi vous ne m'accorderiez pas ce que
je demande, puisque vous n'avez aucun bénéfice à
me le refuser et que ça ne vous causera aucun
ennui. Je ne peux m'adresser qu'à vous et il est
très possible, Hamby, que je vous sois utile !

Le capitaine réfléchissait. Il dit :

— Vous ne me mentiriez pas, Gates ? Si vous me
mentez, vous ne vivrez pas, je vous le certifie !

Calvin Gates haussa les épaules.

— Je ne serais pas venu ici pour vous mentir et
vous le savez bien !

Hamby sourit.

— Ce docteur Gilbreth, demanda-t-il, vous tenez
tant que ça à le voir ? Pourquoi ?

— Ça, ça me regarde !

La réplique, si sèche qu'elle fût, ne parut pas
froisser Hamby, qui reprit :

— Ne soyez pas si susceptible, Gates ! Vous parlez
comme j'aime qu'on parle et je serai aussi net que
vous. Vous me dites ce que veut Moto. Je verrai

bien si c'est la vérité ou non, soyez tranquille ! Si vous me dites la vérité, je ferai ce que vous désirez, parole d'honneur ! Vous verrez Gilbreth, miss Dillaway rejoindra Gilbreth, vous resterez avec moi et tout ira on ne peut mieux. Je sais tenir une promesse, Gates, vous n'avez rien à craindre ! Serrons-nous la main et dites-moi ce que veut Moto !

La poignée de main de Hamby était dure et franche.

— Rien à craindre, Gates ! répéta-t-il.

— Parfait ! dit l'Américain. Je vous fais confiance, Hamby. M. Moto veut votre peau.

Hamby enfonça ses deux mains dans ses poches.

— Vous êtes sûr de ça ?

— Il veut vous amener au China Hotel, reprit Calvin Gates. D'après ses instructions, je devais bien vous faire remarquer qu'il était là-bas seul. Je suis convaincu qu'il n'en est rien. Il a de grands desseins en tête, Hamby. C'est lui, en fait, qui commande toute l'armée japonaise. Je lui ai vu donner des ordres à un général.

Hamby se balançait d'avant en arrière sur ses talons. Calvin poursuivit :

— Je ne veux pas être complice d'un assassinat. Moto est très partisan des « liquidations ».

— Vous m'intéressez énormément, Gates ! répondit Hamby. Ma parole ! je n'aurais jamais pensé à ça ! Vous me dites bien qu'il arrive de Tokio et qu'il a la haute main sur l'armée ? Notez que ce ne serait pas la première fois ! A-t-il des papiers sur lui ?

Calvin Gates raconta la scène à laquelle il avait assisté à Peiping.

Le capitaine chantonna quelques mesures de sa chanson favorite.

— Il a les pleins pouvoirs, conclut-il, mais gardons le sourire, c'est la consigne ! En tout cas, Gates, vous n'êtes pas cher ! Ou vous êtes un fou ou vous êtes un menteur !

— Vous pouvez choisir.

— Je n'y manquerai pas. Si vous dites la vérité, ma parole sera tenue. Souriez et venez avec moi !

Il glissait son bras sous celui de Calvin, qui eut un léger mouvement de recul. Le capitaine rit doucement.

— Ne soyez donc pas si nerveux, Gates !

— Où allons-nous ?

— Vous êtes curieux aussi, hein ? Vous m'avez dit des choses si fichtrement intéressantes que je veux vous faire rencontrer certaines gens, dont elles pourraient modifier les plans. M. Holtz et le prince sont par là. C'est eux que nous allons voir...

— Quel prince ? demanda Calvin.

Ils se dirigeaient vers un petit bâtiment, peu éloigné de celui qu'ils venaient de quitter.

— Quel prince ? répéta Hamby. Mais le prince Wu de Ghuru Nor, mon très estimé patron. Il est arrivé ici la nuit dernière, à seule fin de me rencontrer. Vous avez vu tout à l'heure quelques-uns de ses sujets, les crasseux qui mangeaient du mouton, près de la porte. Lui, c'est un brave type et le commerçant le plus avisé que j'aie jamais connu. Un calme, si jamais il y en a eu un ! Prendre les choses comme elles viennent et conserver le sourire, il n'y a rien de tel !

— Où est miss Dillaway ? demanda Calvin.

— Elle va très bien, répondit Hamby. Ne soyez pas si nerveux, Gates !

## 17

— Qui va là ?

Dans l'obscurité, quelqu'un avait lancé la question en mongol, mais le ton en laissait deviner le sens. Tandis que le capitaine répondait, un Mongol surgissait des ténèbres. L'acier de son fusil brillait sous la lune.

— La garde du prince, expliqua Hamby. C'est un de mes hommes. Jamais vu de meilleurs soldats ! Voici la maison de Holtz. Il ne se néglige pas, hein ? Inutile de frapper, tout à fait inutile !

La maison était un de ces bungalows anglais dont l'architecture sans audace demeure sensiblement la même sous toutes les latitudes. Les deux hommes pénétrèrent dans un grand *living-room*, pourvu d'un nombre impressionnant de confortables fauteuils. Avec les photographies qui couvraient les murs et les magazines qui traînaient sur la table centrale, la pièce était d'une banalité qui semblait faire ressortir, par contraste, l'aspect peu ordinaire de ceux qui s'y trouvaient. L'attention de Calvin alla tout de suite à un personnage d'une cinquantaine d'années qui trônait sur le plus somptueux des fauteuils. Sa chevelure, tirée en arrière, se terminait en une longue natte d'un noir bleu. Il avait des pommettes très hautes et des yeux très bruns, si étroits qu'il semblait sourire perpétuellement. Ses joues étaient maigres et creuses et une fine moustache grisonnante se relevait délicatement

au-dessus d'une bouche petite, à la lèvre dédaigneuse.
Que ce fût là le prince de Ghuru Nor, il était impossible d'en douter. Drapé dans une ample robe bleu
turquoise, chaussé de bottes de cavalier à l'extrémité
recourbée, les deux mains appliquées sur les
genoux, très droit sur son siège, il avait l'air de
poser pour un portrait appelé à figurer dans une
galerie d'ancêtres. Deux gardes étaient derrière lui,
appuyés sur leur fusil. Un autre Mongol était assis
sur ses talons, à la droite du prince. M. Holtz,
toujours en corps de chemise, était à sa gauche, un
verre de bière à la main. Il y avait encore dans la
pièce, debout dans un angle, quatre ou cinq jeunes
hommes, tous armés, qui faisaient partie de la suite
du prince et, installé dans un fauteuil, un dernier
personnage dont le visage couturé rappelait à Calvin
Gates de récents et fâcheux souvenirs : le major
Ahara. Le Japonais esquissa le geste de se lever.
Hamby l'arrêta du geste.

— Restez assis, major !

Le capitaine se tourna vers le prince.

— Permettez-moi, Excellence, de vous présenter
cet Américain dont je vous ai parlé.

Le prince hocha la tête et considéra longuement
Calvin.

— Je parle anglais, dit-il avec lenteur. C'est la
seule langue qui nous soit commune à tous ici. Vous
allez rejoindre le docteur Gilbreth ? Il ne m'a pas
parlé de vous.

Il se tut, mais, s'adressant cette fois à Hamby,
reprit presque aussitôt :

— Que se passe-t-il ? Nous vous attendons depuis
un moment.

Hamby répondit, sur un ton de respectueuse
familiarité qui indiquait qu'il était le conseiller
intime du prince :

— Je sais, Excellence. Il s'agit de l'étui à cigarettes. Mon conseil est de ne pas le vendre encore.

Penché en avant, le major Ahara écoutait avec attention. Hamby poursuivit :

— Cet officier japonais nous a fait une offre fort généreuse, mais depuis, la situation s'est modifiée. Cet Américain nous est envoyé par M. Moto. Nous devons nous montrer prudents, Excellence. M. Moto a la haute main sur l'armée.

Il suffisait de regarder le prince pour se rendre compte qu'il n'avait pas parfaitement compris, sa connaissance de l'anglais étant sans doute moins complète qu'il ne l'imaginait. Mais le major Ahara, qui s'était levé d'un bond, protestait avec énergie :

— C'est inexact ! Moto n'a rien à voir en cette affaire ! L'armée ne le concerne pas !

Le capitaine Hamby, se tournant vers lui, répliqua :

— Asseyez-vous ! Vous autres, Japonais, vous êtes tous pareils ! Terriblement forts ! Vous êtes venu ici pour acheter cet étui à cigarettes, mais ce n'est pas nous qui vous avons convoqué ! Asseyez-vous et tenez-vous tranquille !

S'adressant à Holtz, qui venait de poser son verre sur le plancher, le capitaine poursuivit :

— Holtz, vous avez du bon sens, écoutez-moi ! Ce gentleman, Gates, c'est Moto qui nous l'envoie. Moto, que vous avez déjà vu ici, est au China Hotel. Je vais aller le trouver. Il arrive directement de Tokio et, je le répète, l'armée n'obéit qu'à lui. Il faut que nous nous occupions de ça !

M. Holtz fit la moue.

— Ces Japonais ! dit-il. Mon cher ami, c'est un piège... Très probablement !

Hamby ricana.

— Piège ou non, ça m'est égal, si j'ai une poignée de mes hommes avec moi !

M. Holtz se passa la main sur la bouche.

— Toujours le même, Hamby ! Quand il s'agit d'argent, rien ne vous arrête.

— Très juste ! s'écria le capitaine. Dites-moi, Gates, il était bien seul lorsque vous l'avez quitté ?

— Oui.

— Mon cher ami, reprit Holtz, vous devriez vous méfier. Pourquoi donc ce cher M. Gates serait-il venu ici nous raconter cette histoire ?

— Parce que M. Moto ne pouvait pas venir lui-même, répondit Hamby. Il se doute qu'il pourrait fort bien se faire assassiner s'il mettait le nez dehors. Ils sont subtils, les Japs, vous savez ! M. Moto tient énormément à ce que le major n'entre pas en possession de l'étui. Il a son idée, j'en suis sûr.

Le major s'était levé.

— M. Moto n'a rien à voir en cette affaire, dit-il. C'est un homme dangereux, très dangereux. Souvenez-vous que, dans fort peu de temps, l'armée japonaise contrôlera la région et que le prince a donc intérêt à respecter ceux qui la représentent. Cela vaudra mieux pour tout le monde. J'offre dix mille dollars d'or pour cet étui à cigarettes et une autre somme pour l'occupation immédiate de Ghuru Nor...

Hamby souriait. La situation lui plaisait. Calvin eut l'impression que c'était bien le capitaine qui l'avait en mains. L'homme était décidément loin d'être un imbécile.

— Vous nous offrez de l'argent, reprit Hamby, parce que c'est pour vous le seul moyen d'obtenir ce que vous voulez. Ce n'est pas faute d'avoir essayé de l'avoir autrement !

Les muscles du visage du major se contractèrent. Il se dominait, mais il était furieux.

— Vous feriez mieux d'accepter mon offre ! répliqua-t-il. Je pourrais m'arranger autrement.

— C'est une menace ? demanda Hamby.

— Oui, dit le major, c'est une menace !

Le capitaine éclata de rire.

— Ma parole ! s'écria-t-il, voilà que ces maudits petits Japs se mettent à devenir insolents ! Vous parlez à un Blanc, major, à un officier, et autrement fort que vous ne le serez jamais ! Votre armée, je n'en donnerais pas *six-pence* ! Cet étui à cigarettes, peut-être que nous vous le vendrons, peut-être que nous ne vous le vendrons pas ! On verra ça. Asseyez-vous, major, et tenez-vous tranquille !

Le major promena ses yeux autour de la pièce, haussa les épaules et reprit place dans son fauteuil.

— Vous avez commis une grosse erreur, déclara-t-il. Vous avez insulté l'armée japonaise.

Le propos ne parut pas faire impression sur le capitaine, non plus que sur le prince, qui demeurait rigoureusement immobile, ou sur Holtz, qui avait croisé les mains sur son estomac.

— Qu'elle aille au diable, votre armée japonaise ! lança Hamby. Deux corps d'armée russes et elle est nettoyée !

M. Holtz intervint.

— Inutile, mon cher ami, d'insulter qui que ce soit ! Le major est un gentleman fort aimable. Bien sûr, il ne nous offre que peu d'argent, mais il n'est pas prouvé qu'il s'en tiendra là et vous nous faites perdre du temps. Qu'est-ce que vous voulez faire ?

Hamby se tourna vers M. Holtz.

— Nous ne décidons rien avant que je n'aie vu Moto.

— Mais...

— Une minute !

Le capitaine s'approcha de M. Holtz et lui murmura quelques mots à l'oreille. M. Holtz, très attentif, fronça le front.

— Je n'aurais jamais pensé à ça ! dit-il. Je le répète, quand il y a de l'argent, rien ne vous arrête. Il vaudrait mieux dire ça au prince.

— C'est ce que je vais faire. Son Altesse a l'esprit sportif.

Le capitaine s'adressa alors au prince en une langue qui n'était ni du chinois, ni du japonais. Le prince répondit d'un mot. Hamby se retourna vers Holtz.

— Je vous disais bien, conclut-il, que le prince avait l'esprit sportif.

M. Holtz, mal à l'aise, s'agitait sur son fauteuil, qui criait sous son poids.

— Je n'aime pas ça ! dit-il. Pourquoi faites-vous confiance à notre ami M. Gates ? Qu'est-ce qui vous fait croire qu'il dit la vérité ?

— C'est un risque que je prends, déclara Hamby. Vous m'avez bien dit, Gates, que Moto est seul au China Hotel ?

— Je vous l'ai dit, répondit l'Américain, et j'ai ajouté que c'était un piège.

— Parfait ! J'espère, Gates, que vous ne vous moquez pas de moi, car je vais risquer gros sur ce que vous me dites... et vous aussi. Je vais me rendre au China Hotel. Si je ne suis pas de retour dans une heure, vous serez abattu.

— Qu'est-ce que vous dites ?

Le regard de Hamby se posa dans celui de Calvin Gates.

— Je dis que, si je ne suis pas de retour dans une heure, c'est que vous ne m'aurez pas dit la vérité et que, par conséquent, vous serez abattu. Nous n'avons pas le temps, ce soir, de faire des gentillesses.

Calvin Gates regarda le prince, qui souriait.

— Vous voulez me faire peur ? demanda-t-il.

— Nullement, répondit Hamby. Je précise la situation. Vous êtes arrivé au beau milieu d'une importante discussion d'affaires. Le prince ne sait pas s'il veut se vendre à la Russie ou bien au Japon. Si je ne reviens pas, sa décision, vous ne la connaîtrez jamais. La proposition est honnête, non ?

— Et si vous revenez ?

Le capitaine se mit à rire.

— Voilà qui est parlé, Gates ! Vous êtes un type comme je les aime. Si je reviens, vous n'y perdrez rien. Le prince vous donnera une part dans les bénéfices de l'opération, vous assisterez au spectacle et je tiendrai toutes mes promesses. Dans une heure, vous serez fixé !

Le prince s'était levé, en prenant appui sur l'épaule du serviteur mongol accroupi à ses pieds.

— Ne vous en faites pas, Gates, reprit Hamby, et ne soyez pas nerveux ! Je ne tiens pas à voir M. Moto, mais je veux l'amener ici vivant et c'est ce que je ferai, si vous m'avez dit la vérité. Vous ne voyez rien à me dire ?

Calvin Gates ne répondit pas. Le major Ahara hurla quelque chose. Deux des gardes du prince se précipitèrent et, le saisissant aux épaules, l'obligèrent à se rasseoir. Deux autres s'approchaient de Calvin.

— Ne craignez rien, Gates ! lui dit Hamby. Ils vont simplement vous enfermer. Restez calme !

Deux poignes robustes entraînaient Gates vers la porte. Le capitaine parlant de nouveau, les deux gardes s'arrêtèrent.

— Autre chose, Holtz ! disait Hamby. Durant mon absence, prenez la radio et alertez le général Shirov. Dites-lui que nous avons deux Japonais et qu'il faut en finir cette nuit.

Le major Ahara avait bondi.

— Vous ne pouvez pas faire ça et je ne resterai pas ici si un Russe doit y venir ! Vous m'aviez donné votre parole que cet entretien serait confidentiel !

Hamby le regarda d'un air tout ensemble surpris et blessé.

— On croirait, s'écria-t-il, que les Japonais n'ont jamais manqué à leur parole ! Vous parlez au capitaine Sam Hamby, qui mène la négociation au nom du prince Wu de Ghuru Nor. Le prince, qui ne sait encore s'il se rangera du côté japonais ou du côté russe, ne veut pas commettre d'erreur et voir son pays envahi par l'un ou l'autre parti. La question sera tranchée ce soir, ici même, et nous entendons ne pas nous tromper.

— Ce que je puis vous certifier, répliqua le major, c'est que, moi, je ne me tromperai pas. Je vous garantis que, quand je sortirai d'ici, je donnerai l'ordre d'occuper Ghuru Nor !

— C'est ça ! dit Hamby. Quand vous sortirez d'ici...

Emmené par ses gardes, Calvin Gates n'entendit pas la réponse du major Ahara. Les deux hommes le tenaient chacun par un bras et, sans mot dire, le conduisaient vers un des magasins qu'il avait entrevus à son arrivée.

Hamby lui avait dit qu'en Chine tout était possible. Il savait maintenant que rien n'était plus exact. Si incroyable qu'elle fût, cette aventure était bien réelle. Les meneurs de jeu alliaient l'audace d'authentiques bandits à l'habileté de diplomates consommés. Hamby et le prince de Ghuru Nor avaient transformé en camp retranché les entrepôts de leur ami Holtz et là, sûrs de leur force, ils traitaient avec deux grandes puissances, l'une et l'autre tenues en échec par un faible petit prince mongol qui savait profiter de l'opposition de leurs intérêts. La partie était dangereuse, mais Hamby était fin et subtil. Il était clair qu'il avait entamé des pourparlers des deux côtés et qu'il attendait, pour prendre sa décision définitive, l'offre la plus avantageuse. Il manœuvrait avec une adresse à laquelle Calvin rendait hommage et les finesses du capitaine eussent ravi l'Américain, s'il avait été en l'affaire un simple spectateur. Malheureusement, il était un otage. Il répondait de la vie de Hamby. C'était illogique, arbitraire, mais indiscutable...

Ils étaient arrivés devant un magasin gardé par une sentinelle en armes. Celle-ci, après un rapide colloque avec les Mongols qui accompagnaient Calvin, entre-bâilla la porte et une vigoureuse poussée précipita l'Américain à l'intérieur d'une sorte de hangar, faiblement éclairé par la lueur trouble qui tombait d'une lanterne accrochée à une poutre. La porte claqua derrière lui. L'air sentait la laine et le cuir. Il se racla la gorge et, ses yeux s'habituant à la pénombre, regarda autour de lui. Il s'aperçut qu'il n'était pas seul. D'une voix presque joyeuse, il s'écria :

— Allô, Dillaway !

## 18

Miss Dillaway était assise sur un gros coffre de bois. Elle sauta à terre et courut vers lui.

— Calvin !... Calvin Gates !

Qu'elle fût contente de le voir et qu'elle ne lui en voulût plus, il le comprit tout de suite, mais, ce qui le surprit surtout, ce fut sa propre joie. Tout le reste n'avait plus d'importance. Il avait retrouvé miss Dillaway et elle n'essayait même pas d'avoir l'air de ne pas être heureuse de son arrivée.

— Allô, Dillaway ! répéta-t-il. Je viens vous tirer d'ici.

— Vraiment ? dit-elle. Je me doutais bien que, s'il y avait un fou pour tenter ça, ce serait vous !

Il devina que la boutade cachait une émotion sincère. Elle ajouta :

— Si vous saviez ce que je peux avoir peur !

Il la rassura.

— Tout ira bien, Dillaway ! Nous sortirons d'ici et on ne vous fera pas de mal. Les choses auraient pu tourner beaucoup moins bien.

— En tout cas, répondit-elle, elles ne me plaisent guère et j'ai rudement peur ! Je ne le dirais pas à un autre et j'imagine que ça doit vous faire plaisir.

Sa voix avait retrouvé un peu de son mordant d'autrefois, mais il ne s'alarma point pour autant. Le ton proclamait qu'elle était heureuse de le retrouver et qu'elle lui faisait confiance.

— Je suis rudement content de vous revoir ! déclara-t-il. Je crois bien que je n'ai jamais été aussi content de ma vie !

Lui posant la main sur l'épaule, il ajouta :

— Dillaway, si jamais nous sortons d'ici...

Elle lui prit la main, l'écarta, mais la conserva dans la sienne et, lui coupant la parole, elle dit :

— Si jamais nous sortons d'ici, Gates, je garderai un œil sur vous ! Vous avez besoin d'un tuteur. On m'a parlé de vous. Vous ne vous êtes pas aperçu que nous ne sommes pas seuls et que nous avons ici le docteur Gilbreth ?

Il suivit la direction du regard de la jeune femme et aperçut, à quelques pas, un petit homme trapu, vêtu d'un complet de tweed assez fatigué.

— Allô, Gilbreth ! s'écria-t-il, à peine surpris. Qu'est-ce que vous fichez ici ?

Rien ne pouvait plus l'étonner, il l'avait dit et c'était vrai. Pourtant, il avait parcouru la moitié du globe terrestre pour rencontrer le personnage qui se trouvait devant lui, ce petit homme dont les traits ne s'étaient pas encore effacés de sa mémoire. Il n'avait pas changé. C'était bien là le docteur Gilbreth, le célèbre conférencier et explorateur, avec son long nez, ses cheveux gris et sa bouche molle. Il était resté le même et Calvin, une fois encore, se demandait ce qu'une jeune fille qui n'était pas mal de sa personne avait pu découvrir de bien dans un type comme ça ! Il fallait reconnaître qu'il ne paraissait pas à son avantage. Ce n'était plus le convive de choix qu'on invite pour qu'il parle de ses voyages, mais un individu sans attraits, un pauvre bougre, sale et mal rasé, qu'aucune maîtresse de maison n'eût souhaité voir à sa table.

— Ce que fais ici ? dit-il. Je suis dans une antre de voleurs... et vous aussi, je vous l'apprends, au

cas où vous l'ignoreriez ! Vous avez vu le prince ?
Vous avez vu Hamby ? Ils ont capturé la mission
tout entière et ils exigent une rançon. Ils m'ont
forcé à envoyer un câble pour demander des fonds.
Je dois aller demain à la banque, avec Hamby
pour les retirer. Impossible de faire autrement. Si
je paie, on me laisse aller. Sinon, aucun secours à
espérer. Il ne s'agit pas d'une plaisanterie, Gates !
Le prince est un homme qui ne badine pas.

— Je le crois, répondit Gates. Je le tiens pour
un gaillard remarquable.

— Je me figurais que je savais manier les indigènes ! reprit Gilbreth. Il y a deux ans, la Mongolie
était un pays calme. Maintenant, c'est l'anarchie !
Pourquoi vous ont-ils coffré, Gates ?

Calvin haussa les épaules.

— Une idée de Hamby ! dit-il. Je lui en suis
d'ailleurs assez reconnaissant : je désirais vous voir,
Gilbreth, et il m'avait promis que nous nous rencon-
trerions. Sur ce point-là au moins, il a tenu parole.

Son regard fuyant celui de Calvin Gates, le
docteur Gilbreth répliqua :

— Vous ne voulez pas dire, je pense, que vous
êtes venu de New-York pour me voir ? Vous pouviez
m'écrire ou m'envoyer un câble...

— Je ne crois pas, dit Calvin.

Ce qu'il avait à dire, il avait conscience d'être
venu de l'autre bout du monde pour le dire. Pourtant, ce ne fut pas sans effort qu'il poursuivit :

— Il s'agit, docteur Gilbreth, d'une affaire qui
intéresse ma famille tout entière. J'attends de vous
un service.

Gilbreth avait-il compris ? Rien ne l'indiquait
dans son attitude.

— Voulez-vous dire, demanda-t-il, que c'est votre
famille qui vous envoie vers moi ? Il n'y a absolument aucune raison...

Calvin l'interrompit.

— Que la chose vous surprenne, ça ne m'étonne pas ! Nous sommes loin de notre point de départ et on oublie si vite ! Personne ne m'a envoyé vers vous. Je suis venu de moi-même.

— Mais pourquoi ?

Calvin hésita un peu : il cherchait ses mots.

— C'est difficile à expliquer, dit-il enfin, et je donnerais gros pour ne pas avoir à le faire. Quand vous avez cherché des fonds pour organiser votre expédition, vous vous souvenez que bien des gens se sont montrés intéressés par votre entreprise ?

Il ne lui paraissait pas nécessaire d'entrer dans les détails. Gilbreth devait comprendre.

— Des choses comme celle-là, répondit-il, ne se font pas sans argent !

Calvin Gates en convint.

— Je le sais et ce n'est pas de ça que je vous blâme.

Gilbreth reprit d'un ton embarrassé :

— Continuez, Gates ! J'imagine que vous faites allusion à un chèque ?

— Comment le savez-vous ? répliqua Gates vivement. Je n'ai encore rien dit de ça !

— Non, mais je vois très bien où vous voulez en venir !

— Tant mieux ! Bella Gates, ma cousine, s'intéressait à votre expédition. Elle vous a remis un chèque. Un gros chèque : dix mille dollars. Vous lui aviez dit que cette somme vous était absolument indispensable.

— Je regrette de m'être montré si pressant. Je n'ai jamais eu l'intention...

Gilbreth se défendait d'une voix timide. Calvin lui coupa la parole.

— Aucune importance et inutile de faire des personnalités ! Ce qu'elle a pu vous dire, ce que vous avez pu lui dire, ça m'est égal. Ce que je sais, c'est qu'elle vous a donné un chèque portant la signature de son père. C'est mon oncle, docteur, et j'ai pour lui beaucoup d'affection, je vous prierai de vous en souvenir. Le chèque a été payé par la banque. Peu après, on a découvert que la signature était fausse. J'ai fait savoir que c'était moi le faussaire et je suis parti.

Il se tut quelques secondes, se racla la gorge et reprit :

— Ma confession causa une certaine émotion dans la famille, mais il semble que c'est maintenant la banque qui a pris l'affaire en mains. Une enquête est ouverte. Il est certain, la situation étant ce qu'elle est, que vous serez interrogé. Il s'agit d'une chose assez délicate, qui, en somme, ne concerne que ma famille. Mon oncle m'a élevé, il m'a pardonné un tas de sottises et, je le répète, je l'aime beaucoup. Je vous demande, quand les enquêteurs vous interrogeront, de leur dire que, cette signature, je suis seul à avoir pu l'imiter. Je ne peux pas entrer dans les détails, mais je tiens à ce que, sur ce point, vous soyez formel.

Il attendit. Gilbreth restant muet, il reprit :

— Avant votre départ, vous nous avez dit, et je pense que c'était exact, qu'il faudrait trois ou quatre semaines pour vous toucher par câble. Quand j'ai quitté les Etats-Unis pour venir vous rejoindre, je croyais que cette histoire ne sortirait pas de la famille, dont je m'imaginais qu'elle se dirait que moins on en parlerait, mieux cela vaudrait. Il semble que je me trompais. Il est probable qu'on a découvert que ce n'était pas la première fois que la signature de mon oncle était imitée sur un chèque et j'ai appris, l'autre jour, que je suis recherché par la police américaine. Cela m'a rendu d'autant plus anxieux de vous voir. Je ne m'attendais pas à voir mon oncle alerter les autorités. Il a dû le faire dans un coup de colère. Vous n'avez pas reçu de câble et vous n'êtes pas au courant ? Il faut que je paie, je paie. On n'a pas l'air, par ici, de s'inquiéter beaucoup des faussaires.

Gilbreth regardait Calvin Gates avec une sorte de stupeur, un peu comme il eût contemplé quelque représentant d'une race préhistorique. Avec effort, il dit :

— Mais, cette signature, ce n'est pas vous qui l'avez imitée et je connais le coupable.

Calvin Gates riposta immédiatement :

— Vous faites erreur ! Le faussaire, c'est moi.

Un peu plus bas, il ajouta :

— Elle était folle de vous, Gilbreth !

— Je ne vous comprends pas, répliqua Gilbreth, et je veux être pendu si je vois ce que vous voulez ! Vous m'embarrassez plus que je ne saurais dire. L'affaire, autant que je sache et sous quelque angle qu'on la considère, ne vous concerne pas et je ne veux pas croire sérieusement que vous êtes venu ici, dans ce pays impossible, uniquement pour me demander de vous aider à vous perdre. Un homme capable de commettre une telle folie, voyez-vous, je ne crois pas qu'il existe ! Je ne le crois pas !

— Eh bien ! moi, je le crois ! s'écria miss Dillaway. Je le crois, parce que, s'il y a quelqu'un qui est susceptible de faire une chose de ce genre-là, c'est bien lui ! Une occasion comme ça, vous sautez dessus, n'est-ce pas, Gates ?

Cette conversation avec Gilbreth, Gates avait souhaité qu'elle eût lieu sans témoins. Il agissait selon sa conscience, mais se rendait parfaitement compte que les motifs qui le poussaient devaient paraître ridicules. Après quelques hésitations, il avait parlé. Sa confession consacrait sa ruine. Pourtant, pour plusieurs raisons, il ne la regrettait pas.

— Dillaway, dit-il, vous ne savez rien de cette histoire ! Je vous signale seulement que, pour la première fois de ma vie, j'ai fini quelque chose que j'avais commencé.

— Si vous croyez que je n'ai pas compris ! répondit-elle. Figurez-vous, Gates, que, lorsque vous êtes arrivé, nous parlions de vous !

Le docteur Gilbreth doutait encore. Il reprit :

— Mais, enfin, Gates, vous n'avez aucune raison de faire ce que vous faites ! Votre cousine, vous ne l'aimez pas ! C'est à peine si vous vous parliez !

— Qu'est-ce que ça change ? demanda Calvin. C'est une affaire qui ne regarde que moi. Ce que j'en fais, puisque vous voulez le savoir, c'est pour mon oncle. Il ne fait pas grand cas de moi, mais, moi, j'ai pour lui du respect, de l'estime et de l'affection. Les choses sont beaucoup mieux comme ça, croyez-moi !

Il y eut un silence.

— Vous me prenez pour un fou, poursuivit Calvin. Ça m'est égal ! Pour une fois, ce que je m'étais promis de faire, je l'ai fait. Et cela, c'est quelque chose !

Il en disait le moins possible, le sujet n'étant pas de ceux dont on pouvait discuter, et il se sentait pourtant mal à l'aise, ayant l'impression d'avoir tout dit, et en tout cas beaucoup trop.

— Vous n'êtes pas fou, Gates ! répliqua miss Dillaway d'une voix enjouée. Vous êtes comme vous êtes et je ne voudrais pas que vous fussiez autrement ! Le seul ennui, c'est qu'il faut qu'on veille sur vous. Vous n'êtes pas de ces gens qu'on peut laisser sortir seuls... et il se trouve que vous arrivez trop tard. Vous feriez mieux de lui dire, Gilbreth !

Le docteur Gilbreth hésitait. Elle insista :

— Allons, Gilbreth, dites-lui !

Gilbreth se décida.

— J'ai reçu un câble il y a huit jours, dit-il. Je ne savais pas que vous veniez par ici et, maintenant, je m'en félicite. On m'interrogeait. J'ai répondu par câble et, parce qu'il me fallait bien prouver ma bonne foi, j'ai donné les faits exacts. Vous me direz peut-être que je ne me suis pas conduit en gentleman. Nous discuterons de ça une autre fois. Toujours est-il que j'ai reçu un second câble, en réponse, avant que les communications ne soient interrompues. Le voici ! Vous pouvez le lire.

Il tendait à Calvin une feuille de papier sur laquelle quelques lignes avaient été griffonnées au crayon :

*Votre communication explique situation ici stop mesures sont prises stop comptons sur votre discrétion stop pour éviter scandale ai déposé que j'ai signé chèque et omis en aviser comptabilité stop autorités acceptent explication stop prière faire savoir cela à mon neveu au sujet duquel suis inquiet stop aurait dû me consulter avant départ stop informer ce jeune idiot qu'il ait à revenir immédiatement stop fonds adressés Shanghaï Roger Gates.*

Calvin conserva longtemps les yeux fixés sur la feuille de papier. La restituant enfin à Gilbreth, il dit :

— Dommage ! Il eût mieux valu qu'il ne sût jamais la vérité.

— Qu'en savez-vous ? demanda Gilbreth. En tout cas, maintenant il la connaît... et vous n'y pouvez rien !

— Réfléchissez à ça ! dit miss Dillaway. Vous n'y pouvez rien !

Il eut le sentiment qu'elle se moquait de lui, mais il n'en était rien.

Maintenant que tout était fini, il songeait à l'aventure qu'il venait de vivre et la voyait comme si un autre en avait été le héros. Il avait agi de façon absurde, comme un stupide don Quichotte, poussé par des mobiles dont le ridicule lui semblait maintenant incontestable.

— Dillaway, dit-il, je crois que je suis dégoûté de jouer les chevaliers errants.

— Vraiment ? demanda-t-elle. Eh bien ! il serait temps !

## 19

— Quoi qu'il en soit, dit Calvin, je vous ai retrouvée, Dillaway, et je vais vous tirer d'ici !

— Autrement dit, ajouta-t-elle, vous vous remettez en campagne !

La phrase le rappela à une réalité qu'il avait presque oubliée.

— Ne vous tracassez pas ! reprit-il. Cette histoire-là est terminée et je ne suis plus l'homme que j'étais hier.

Gilbreth, qui s'était mis à marcher de long en large dans le hangar, s'immobilisa.

— Vous ne croyez pas, Gates, qu'il y a assez longtemps que nous parlons de vous ? demanda-t-il. Que se passe-t-il, là-bas ? Que manigancent-ils ?

Calvin ne répondit pas et consulta la montre qu'il portait au poignet.

— Vous avez un rendez-vous ? s'enquit miss Dillaway.

— Peut-être ! dit Calvin. Je le saurai d'ici cinq minutes.

Soucieux de ne pas s'étendre sur le sujet et d'esquiver les questions, il poursuivit :

— Ainsi, Dillaway, vous avez remis l'étui à Hamby ? Dommage. La situation serait meilleure si nous l'avions.

— Vous le voulez ? Il est à vous !

— Ne plaisantez pas, Dillaway ! Ce n'est même

pas drôle. Si je pouvais mettre la main sur cet étui...

— Mais, Gates, je parle sérieusement ! Si vous le voulez, je vous le donne. Il est dans mon sac à main.

Elle ouvrait son sac et lui remettait l'étui à cigarettes. Il le reconnut au premier coup d'œil.

— Mais, s'écria-t-il, stupéfait, comment se fait-il que Hamby ne vous l'ait pas pris ?

Il connaissait suffisamment le capitaine pour savoir qu'il n'avait pas dû se faire faute d'essayer.

— J'ai pensé qu'il pouvait être utile, répondit-elle. Alors, je l'ai gardé. Le capitaine Hamby n'est pas tellement fort !

— Mais comment avez-vous fait pour le conserver ? Je ne comprends pas !

— Alors, répliqua-t-elle, c'est que vous n'êtes pas bien malin, vous non plus ! Vous ne vous souvenez pas que j'avais un étui à peu près semblable, que j'avais acheté à Tokio ? C'est celui-là que je lui ai remis.

Il regardait l'étui et sa main tremblait légèrement. Riant, elle ajouta :

— Vous voyez, Gates, que je ne suis pas tout à fait stupide !

— J'ai toujours été persuadé du contraire, dit-il. Seulement, je n'aurais jamais pensé à cette substitution !

— Vous ne me croyez pas ?

— Je vous crois. Mais pourquoi, quand il vous a demandé l'étui, lui avez-vous donné le vôtre, et non pas celui-ci ?

Elle leva le menton d'un petit mouvement volontaire.

— Simplement, répondit-elle, parce qu'il me l'a demandé d'une façon qui ne m'a pas plu. Il était tellement sûr que je n'oserais pas refuser qu'il en a oublié d'être poli et qu'il n'a même pas pris la peine de se montrer grossier. Les romantiques dans votre genre, Gates, s'imaginent toujours que les femmes n'ont pas de cervelle. Vous constatez qu'il peut leur arriver de se tromper. Vous vouliez cet étui à cigarettes, je vous en fais cadeau. Vous ne me remerciez pas ?

— Pardonnez-moi ! Je réfléchis. J'essaie de me rappeler...

Elle lui avait toujours dit qu'elle était capable de se débrouiller seule et il lui semblait bien qu'elle n'était pas loin de l'avoir prouvé. Il était comme un joueur de poker qui, alors qu'il vient de mettre ses derniers jetons sur le tapis, reçoit la carte qui lui manquait. Cette carte, elle la lui donnait. Il avait passé un marché avec Hamby. Si les choses tournaient mal, il lui restait encore l'étui à cigarettes.

— Que croyez-vous que je doive en faire ? demanda-t-il.

Elle eut un geste d'ignorance.

— Je n'en sais rien. C'est vous que ça regarde ! Je ne peux pas tout faire, Gates !

Le docteur Gilbreth s'était approché.

— Qu'est-ce que cet étui à cigarettes a de particulier ? dit-il. Il m'a l'air très ordinaire...

Calvin jugea qu'il était inutile de répondre. Il regardait l'étui, attentif à bien emmagasiner en sa mémoire tous les détails de l'objet. Au bout d'un instant, satisfait, il ouvrit l'étui et, forçant les charnières, le cassa en deux.

— Que faites-vous ?

Comme celle de Gilbreth, la question de miss Dillaway resta sans réponse. Calvin, une moitié de l'étui au creux de ses paumes, pesait de toute la force de ses muscles bandés sur le délicat ouvrage d'argent, qui se tordait sous la pression. Quelques incrustations d'acier tombèrent sur le sol.

— Ramassez ça, Dillaway ! dit Calvin. Cassez-les,

rendez-les méconnaissables et cachez les débris, tous dans des coins différents !

L'autre moitié de l'étui subit le même sort que la première avant d'être, comme la précédente, écrasée à coups de talons. Deux minutes plus tard, la besogne était parachevée.

— Maintenant, déclara Calvin, ils peuvent trouver les morceaux ! Il leur faudrait huit jours pour en tirer quelque chose.

— Mais, demanda miss Dillaway, pourquoi avez-vous fait ça ?

— Parce que je veux vous tirer d'ici ! répondit-il. Il peut, maintenant, arriver n'importe quoi. Nous les tenons !

— Je ne vois pas...

Miss Dillaway n'acheva pas sa phrase : Calvin lui avait fait signe de se taire. A l'extérieur, on entendait des pas.

— Silence ! murmura Calvin. Ne parlez pas, ne dites rien, laissez-moi faire !

Il distinguait la voix de Hamby, qui se faisait reconnaître de la sentinelle. Une clé tourna dans la serrure, la porte s'ouvrit, Hamby entra.

— Bonsoir, tout le monde ! s'écria-t-il. On va bien ? Parfait ! Ne pleurez pas ! Jusqu'ici, tout va bien !

— Hamby, j'aimerais savoir...

Hamby ne permit pas à Gilbreth d'en dire plus.

— N'insistez pas, docteur, je sais ce que vous allez dire ! Souvenez-vous que vous n'êtes qu'un problème tout à fait secondaire. Gates, on vous attend par là ! Venez vite ! Ma parole, je n'ai jamais vécu une nuit pareille !

Calvin n'avait pas bougé.

— Donc, vous êtes revenu ? dit-il. Il me semble que vous devriez nous mettre tous en liberté.

Le capitaine éclata du rire d'un homme qui est

d'excellente humeur. Quoi qu'il eût fait depuis qu'il avait quitté Calvin, il avait dû y prendre plaisir.

— Tout le monde en liberté ! Et allez donc ! Vous me surprenez, Gates ! Il n'a jamais été question de ça dans nos conventions et je m'étonne qu'un homme aussi méticuleux que vous l'êtes se laisse aller à faire une telle suggestion. Si mes souvenirs ne me trahissent pas, je n'ai jamais parlé de mettre miss Dillaway en liberté. J'ai dit que je la conduirais au docteur Gilbreth. Il me semble que j'ai tenu parole. Il ne peut pas lui être d'un grand secours, j'en conviens, mais ce n'est pas ma faute. S'il a des ennuis avec le prince, je n'y suis pour rien. Soyez beau joueur, Gates !

— Vous êtes un curieux spécimen de gentleman, vous ne trouvez pas ? dit Gates.

Le capitaine Hamby se mordit la lèvre. Puis, souriant, il reprit :

— Vous pouvez parler ! Moi, Gates, je ne mords pas la main qui me nourrit, alors que, vous, vous avez tout de même bien gentiment donné M. Moto. Je ne suis pas non plus de ces salopards qui se sont mis à la solde des Japs. A votre place, Gates, je la bouclerais !

— Vous mentez ! s'écria miss Dillaway. Il n'a jamais fait ça et vous le savez bien !

— Laissez, Dillaway ! dit Calvin. Je n'ai rien fait dont j'aie à rougir.

— Vraiment ? demanda Hamby. Eh bien ! tant mieux ! Moi, de mon côté, je n'ai pas à rougir d'avoir possédé un blanc-bec en traitant avec lui. Quel jeu vous jouiez, Gates, je ne le vois pas bien, mais ça ne fait pas grande différence maintenant. Ce que j'ai promis, je le tiens. Je vous avais dit que vous verriez Gilbreth. Vous l'avez vu. Alors ? Croyez-moi, Gates, je vous traite encore bien mieux que vous ne mériteriez !

Calvin mesura de l'œil la distance qui le séparait

du capitaine. Hamby, devinant sa pensée, mit la main dans la poche de son veston et recula d'un pas. Il reprit :

— S'il vous reste un peu de bon sens, Gates, ne faites pas l'idiot et rengainez vos insultes ! Je vous descendrais ici, personne ne se soucierait jamais de vous, dites-vous bien ça ! Au lieu de ça, je fais ce que je peux pour vous. Là-dessus, vous venez ou est-ce que j'appelle mes hommes ?

— Je viens, dit Gates.

La colère de Hamby tomba d'un coup.

— Bravo ! En toute franchise, Gates, je n'ai rien contre vous personnellement. Je ferai pour vous tout ce que je pourrai. Seulement, gardez le sourire ! Marchez devant... et pas de blagues, hein ?

Suivis de deux gardes mongols, les deux hommes traversèrent la cour.

— Il faut prendre les choses comme elles viennent, Gates ! dit Hamby de sa voix la plus amicale. Si vous êtes dans le pétrin, c'est parce que vous vous y êtes fourré vous-même et je n'y suis pour rien. Une nuit comme celle-ci, c'est vraiment rare ! Ce n'est pas souvent que les choses marchent si bien ! Aussi longtemps que vous avez une allumette...

— Qui est-ce qui veut me voir ? demanda Calvin.

— Souriez, Gates, souriez ! C'est un Russe et j'en suis désolé pour vous. Il croit que vous avez dégringolé un de ses copains dans une chambre d'hôtel, à Moukden. Le prince l'a autorisé à disposer de vous, je ferai ce que je pourrai pour vous tirer de ses griffes. Parole, Gates !

— Laissez donc votre parole tranquille !

— Vous avez raison, Gates ! Le mieux est de prendre ça en sportif. Je veillerai à ce que miss Dillaway et Gilbreth me suivent à Ghuru Nor. Avec un peu de chance, peut-être qu'ils reverront les Etats-Unis un jour. Il est difficile, par le temps qui court, de faire plaisir à tout le monde ! Vous allez assister au commencement d'une guerre, Gates. Soit dit entre nous, le prince est presque décidé à marcher avec les Russes. Gardez le sourire, Gates ! Nous arrivons.

M. Holtz ouvrait la porte du bungalow.

— Entrez, je vous prie !

Dans le *living-room*, rien ne semblait avoir changé. Le prince avait repris place dans le grand fauteuil, près de la table sur laquelle tombait la lumière de la lampe. Mais un nouveau venu était assis à côté de lui : c'était M. Moto.

On ne lui avait accordé qu'une chaise au dur dossier de bois.

## 20

Une forte coupure entaillait le front de M. Moto, son veston était déchiré, mais sa sérénité ne semblait pas entamée pour autant. Le capitaine Hamby tourna la tête vers Calvin.

— Comme vous voyez, Gates, dit-il, nous avons ici ce soir votre vieil ami M. Moto. Avez-vous quelque chose à lui dire ?

— Non, répondit Gates. Sinon que je lui avais recommandé de se méfier de vous.

M. Moto lui coupa la parole d'une voix douce.

— Ne vous excusez pas, monsieur Gates, et croyez bien que je n'ai aucun blâme à vous adresser ! Nous aurons encore bien des ennuis, j'en ai peur.

— Comme vous dites ! s'écria Hamby.

De nouveau tourné vers Gates, il poursuivit :

— Et voici, Gates, le gentleman qui désire avoir avec vous un petit entretien ! Il s'appelle le général Shirov.

Le général était assis près de la table, à côté du prince. Il tenait des papiers à la main. C'était un homme d'une trentaine d'années, au fin visage et au teint pâle. Calvin eut l'impression de l'avoir déjà rencontré. Ses traits lui rappelaient quelque chose.

Il y eut un long silence.

— Monsieur Gates, dit enfin le général, j'ai quelques questions à vous poser. Je connais déjà les réponses, mais j'aimerais les entendre de votre bouche.

La voix — qui, elle aussi, lui semblait familière
— précisa les souvenirs de Calvin : le général ressemblait à ce Russe qui accompagnait miss Dillaway
au début de son voyage. Shirov continuait :

— J'ai, monsieur, des raisons personnelles de
vous interroger. Je suis le général Shirov, chef du
service de contre-espionnage russe en Chine. Il
s'agit d'un certain étui à cigarettes en argent. J'aimerais que vous répondiez sans vous faire prier,
car le temps presse.

Le ton, d'une froide courtoisie, était celui d'un
juge à l'audience. Calvin soutint le regard du général et dit :

— Interrogez ! Je répondrai.

— Merci. Etes-vous à la solde d'un gouvernement quelconque ?

— Non.

Un léger haussement de sourcils laissa deviner
l'étonnement du Russe.

— Prétendez-vous donc insinuer que c'est par pur
hasard que vous êtes mêlé à cette affaire ?

— C'est exactement la vérité.

Le général posa ses papiers sur ses genoux. Son
regard bleu levé vers Gates, il reprit :

— Vous ne trouvez pas que c'est une affaire bien
sérieuse pour y être mêlé par accident ?

— C'est mon avis.

— Une affaire bien curieuse également. Entre
Fusan et Moukden, vous avez rencontré dans le
train un Russe, du nom de Boris, qui servait de
guide à une jeune Américaine. Voudriez-vous me le
décrire ?

— Il vous ressemblait, répondit Calvin.

— C'est exact, dit le général. C'était mon frère
et vous voyez pourquoi l'affaire m'intéresse parti-
culièrement. En cours de route, Boris fit cadeau à
cette jeune Américaine d'un étui à cigarettes. Le
même soir, il vous rendait visite dans votre chambre

et vous priait de bien vouloir vous charger de l'objet en question. La chose, monsieur, me paraît extraordinaire. Pouvez-vous me l'expliquer ?

Shirov parlait sans passion, mais ses yeux ne se détournaient pas une seconde de ceux de Calvin Gates.

— Pourquoi il faisait cette démarche auprès de moi, déclara l'Américain, il n'a pas eu le temps de me le dire. Quelque chose paraissait l'inquiéter. J'eus l'impression qu'il y avait quelque danger à détenir cet étui à cigarettes.

Le général approuva d'un mouvement de tête.

— D'après ce que me dit le capitaine Hamby, ici présent, reprit-il, mon frère a été tué dans votre chambre. Pour des raisons personnelles, j'aimerais savoir qui l'a tué. Vous dites, monsieur, que ce n'est pas vous ?

— Ce n'est pas moi !

Calvin, soudain, se sentit la gorge sèche. Il se rendait compte qu'il n'y avait aucune raison pour qu'on le crût. Il ajouta :

— Pourquoi l'aurais-je tué ?

— Je l'ignore, répondit le général, et c'est justement ce que je voudrais savoir.

Désignant de l'index M. Moto, il demanda :

— Serait-ce cet homme qui l'a tué ?

— Non, dit Calvin, ce n'est pas lui. Il est entré dans la chambre peu après. Je crois que... l'événement l'a surpris.

Le silence qui suivit fut troublé par un profond soupir du major Ahara, dont les yeux ne se détachaient point du visage de M. Moto.

— Nous laisserons cela pour le moment, déclara Shirov. Vous vous êtes ensuite rendu chez la jeune Américaine et elle vous a remis cet étui à cigarettes. Vous l'avez conservé. Puis-je vous demander à quels mobiles vous obéissiez ?

Calvin hésita. La question était difficile.

— Cet étui, dit-il enfin, je l'ai pris parce que j'ai cru que sa possession mettait cette jeune femme en danger. Je l'ai gardé parce que j'ai pensé que le danger demeurerait le même, avec ou sans l'étui à cigarettes. Il m'a semblé qu'il était préférable, pour elle et pour moi, de le conserver.

— Aucune autre raison ne vous poussait?

— Je n'en suis pas sûr. Je crois que j'étais curieux de savoir ce qui se passerait. Cette aventure me faisait oublier d'assez désagréables préoccupations personnelles.

— Et pourquoi, lorsque le capitaine Hamby vous l'a demandé, ne lui avez-vous pas donné l'étui?

— Parce que je n'avais pas confiance en lui.

Le général Shirov se tourna vers Hamby.

— Cela, dit-il, je veux bien le croire. Le capitaine nous avait promis de nous remettre cet étui à cigarettes et je le trouve ici en train de traiter avec un Japonais.

Un large sourire détendit le dur visage du capitaine.

— Le major est venu ici sans en être prié, répliqua-t-il. Je suis toujours disposé à parler affaires. Mais, en fin de compte, cet étui, c'est vous qui l'aurez! Ça en prend le chemin...

— Uniquement, riposta le général, parce que je vous ai apporté les dernières informations arrivées de Moscou. Sinon, j'étais bel et bien roulé!

— D'accord! s'écria Hamby avec bonne humeur. Nous nous défendons comme nous pouvons, Shirov. Si vous voulez maintenant discuter avec le prince...

Shirov l'interrompit.

— Un instant, s'il vous plaît! Auparavant, j'ai encore une question à poser à cet homme. L'étui, capitaine, je ne l'ai pas encore vu et je ne vous fais pas confiance à son sujet.

S'adressant de nouveau à Gates, il reprit :

— Vous n'avez pas voulu remettre l'objet au capitaine Hamby et vous l'avez conservé pour protéger cette femme. Pourtant, à Peiping, quand vous l'avez quittée, vous le lui avez rendu. Etait-ce toujours pour la protéger ?

Calvin Gates se sentit rougir. Au lieu de se tenir sur une réserve pleine de dignité, il avait parlé et s'était conduit comme un sot : il n'avait dit que la vérité et n'en semblait pas moins n'avoir proféré que des mensonges.

— Je m'étais disputé avec elle, répondit-il. Mais je suis venu ici la chercher...

L'ombre d'un sourire passa sur le pâle visage du général.

— Une dernière question ! Qui vous paie ? Hamby ou les Japonais ?

Calvin Gates haussa les épaules.

— Personne ne me paie. Croyez ce que je vous ai dit ou non !

— Peut-être lorsque j'aurai vu l'étui à cigarettes.

Le capitaine Hamby avança d'un pas. Le prince, renversé dans son fauteuil, parlait de sa petite voix flûtée.

— Cet étui, général, le capitaine Hamby l'a en poche. Vous nous ferez une offre, mais il est auparavant quelque chose que je veux savoir.

— Quoi donc, Excellence ?

— C'est à mon peuple que je pense, général. Si je traite avec vous, le Japon deviendra mon ennemi. Quelle assurance aurai-je que mon peuple sera protégé ? C'est cela que je veux savoir. Amènerez-vous à Ghuru Nor les forces suffisantes ?

— N'en doutez pas, Excellence ! Je me trouvais, il y a moins de huit jours, à l'endroit où sont concentrées les troupes russes. Elles attendent les ordres. Si la pression japonaise sur la Chine du Nord s'accentue, trois divisions russes se dirigeront immédiatement vers Ghuru Nor.

Un silence pesa sur la pièce. Calvin Gates percevait le battement de ses tempes. Il vit M. Moto se passer la langue sur les lèvres et l'entendit soupirer.

— Eh bien! général, dit Hamby, vous ne retrouverez pas une occasion comme celle-ci ! L'homme qui est juste en face de vous, c'est celui qui actuellement commande en chef aux armées japonaises. Traitez avec nous, payez et, vous avez ma parole, il devient votre prisonnier ! Vous avez vu les papiers qu'il avait sur lui ?

Shirov posa sur la table les documents qu'il tenait à la main.

— Ils me paraissent convaincants, déclara-t-il. Seulement, ce que je ne comprends pas, c'est pourquoi M. Moto s'est laissé prendre par vous. Il y a là quelque chose de pas clair.

Le major Ahara s'était levé d'un bond. Campé au milieu de la pièce, il pointait le doigt vers M. Moto.

— Au contraire, cria-t-il, c'est trop clair ! Cet homme est un traître !

M. Moto, gêné, s'agitait sur son fauteuil. Il murmura :

— Je vous en prie, major, je vous en prie !

Ahara continuait de plus belle :

— Oui, Moto, vous êtes traître à votre empereur et à votre pays ! Ce message, vous entendiez qu'il fût délivré ! Vous avez tout fait pour être amené ici, avec les ordres que vous aviez sur vous ! Niez si vous l'osez ! Vous ne pouvez pas !

— Je vous en prie, major, ça suffit comme ça !

Le capitaine Hamby était de l'avis de M. Moto.

— Oui, dit-il, ça suffit comme ça ! Avec ces saletés de petits Japs, on n'en sort plus !

Il avait empoigné le major aux épaules et le secouait avec violence. Ahara, se défendant, lui administra avec le côté de la main un coup sur le bras, si sec que Hamby lâcha prise avec un cri de douleur. La pièce s'emplit de confusion. Un homme en longue robe noire se jeta sur le major, qui l'évita et se rua vers la porte, qu'il franchit, après avoir bousculé les gardes. Hamby s'élança à sa poursuite. Peu après, deux coups de feu claquaient à intervalle rapproché. M. Holtz, écartant tout le monde, sortit à son tour. Le prince, qui n'avait pas bougé, lança un ordre. Le calme se rétablit instantanément. Dehors, on entendait la voix de Holtz, appelant Hamby.

Hamby, de loin, répondait :

— Ça va, Holtz, il n'y a pas de bobo ! Cette fripouille-là ne nous embêtera plus !

Quelques secondes plus tard, le capitaine revenait. Il souriait. On eût juré qu'il ne s'était absenté que pour prendre l'air. M. Holtz venait sur ses talons, le reproche à la bouche.

— Vous n'auriez pas dû faire ça, Hamby ! Je vous avais dit que je ne voulais pas de ça ici !

Hamby ricana.

— Mais oui, Holtz, vous êtes le plus pacifique des marchands et vous n'êtes que cela, tout le monde le sait ! A part ça, comme cette affaire vous intéresse autant que moi, vous devez comprendre que le bonhomme courait comme un lapin et que nous ne pouvions pas le laisser filer.

— Il n'aurait pas pu sortir d'ici ! Vous êtes allé plus loin qu'il n'était nécessaire. Un officier, Hamby, un officier japonais ! C'est dangereux !

— Fichez-moi la paix avec vos officiers japonais ! Vous avez entendu ce que Shirov nous a dit ? Dans huit jours, les Russes occuperont toute la région !

— Je n'en suis pas tellement sûr, Hamby ! Nous n'avons encore aucune certitude.

— Mais vous entendez Shirov, oui ou non ? L'affaire est faite. La certitude, nous l'avons !

M. Holtz ayant jugé inutile de discuter plus avant, il y eut un silence.

— Je regrette que vous ayez fait ça, dit alors M. Moto, d'une voix douce et nette. C'était un excellent soldat. Politiquement, nous n'étions pas d'accord, mais c'était un charmant garçon. Je suis navré, vraiment navré.

— Vous feriez mieux d'être navré de ce qui vous arrive, à vous !

M. Moto accueillit la réplique du capitaine avec un sourire poli.

— Vous voulez dire, demanda-t-il, que je vais être « liquidé », moi aussi ?

— Vous l'aurez cherché, hein ?

M. Moto croisa les mains devant lui.

— Il me semble, dit-il, que le moment est venu pour moi de parler clairement. Je ne crois pas que ma « liquidation » soit imminente. Je sais tant de choses sur M. Holtz et sur vous tous et j'ai tant d'estime pour le général Shirov ! Vous êtes tous très forts, vraiment très forts, et je sais parfaitement ce que vous pensez, les uns et les autres. Vous vous dites que, lorsque nous ne vous serons plus d'aucune utilité, ce jeune Américain et moi, nous serons supprimés. Voyez-vous un inconvénient à ce que je vous donne quelques explications ?

— Elles ne nous intéresseraient pas, répondit Hamby. Nous n'avons pas le temps !

M. Holtz intervint.

— Permettez ! Je tiens à entendre ce qu'il a à dire.

— Moi aussi, ajouta Shirov. J'aimerais comprendre.

M. Moto sourit au général.

— Je vous remercie, général, et je conçois que vous devez être assez surpris de me voir ici. Mon malheureux compatriote, le major Ahara, avait parfaitement raison : je tenais à ce que l'étui à cigarettes vous parvînt, avec le message qu'il portait. J'espérais qu'il vous serait remis par votre frère, mais certains de mes compatriotes ont tout fait pour l'en empêcher et m'ont placé dans une situation fort embarrassante. Votre frère a pris peur, je le crains, quand il m'a vu dans le train. J'étais, au contraire, très désireux qu'il pût remplir sa mission et je suis désolé de l'accident qui lui est arrivé. C'était un homme remarquable.

Le général Shirov regardait M. Moto. Il était manifeste qu'il ne lui faisait pas confiance. Il attendait la suite.

— Ainsi, dit-il, ce message, vous vouliez qu'il me parvînt ? C'est fort gentil à vous, mais votre mobile ne m'apparaît pas clairement.

M. Moto sourit.

— Excusez-moi ! Je sais si bien que le procédé est inhabituel ! Si je n'avais redouté que vous ne me fissiez pas confiance, général, je me serais mis directement en rapports avec vous. Je sais quel brillant officier vous êtes et il y a si longtemps que nous nous connaissons ! Mais je me suis dit que, si je venais ici librement, vous vous éloigneriez. Or, je tenais à avoir avec vous un entretien. C'est tellement plus pratique ! Je me suis donc arrangé pour me faire capturer par le capitaine Hamby. Je n'avais pas d'autre moyen de vous rencontrer... naturellement.

Le Russe écoutait avec une attention soutenue, le visage tendu et les paupières mi-closes.

— Vous vouliez me voir ? Mais pourquoi ?

Les traits de M. Moto prirent une curieuse expression de gravité.

— Je voudrais que les choses pussent se terminer de façon plus heureuse, mais je crains fort que l'un de nous deux ne sorte jamais d'ici. Nous sommes, vous et moi, familiers avec ce genre d'affaires. Vous êtes venu ici pour y chercher une information. Moi aussi. Vous désirez savoir ce que mon pays va faire en ce qui concerne la Chine. Je pourrais vous le dire, vous ne me croiriez pas. Il m'a donc fallu, contre les conseils et les vœux de bien des gens, prendre des dispositions pour que vous soyez renseigné par vos propres services.

— Je vois, dit le général. Et, vous, que désirez-vous ?

M. Moto soupira.

— C'est extrêmement simple et la question a été souvent débattue ! La Russie interviendra-t-elle si nous progressons plus avant en Chine ? Nous avons tenté une expérience sur le fleuve Amour, mais nous ne sommes encore sûrs de rien. Ce que nous savons, par contre, c'est que, si votre grand pays doit réagir jamais, c'est dès la réception de ce message qu'il le fera. Ce sera comme l'explosion d'un train de munitions. Vous connaissez la situation aussi bien que moi-même. Nous avons nos espions à Moscou. Si vous frappez, ce sera tout de suite, sans ultimatum, sans déclaration de guerre. Ces formalités sont tellement ridicules ! La décision, je le crois, est toute prête. Votre armée avancera sans plus attendre et viendra occuper à Ghuru Nor les positions prévues. Si c'est ce qu'elle fait, nous comprendrons que l'intervention est probable. Je désire voir ce que vous allez faire. Je ne m'en suis d'ailleurs pas tenu là.

M. Moto se tut, pour laisser au général le temps de répondre. Shirov restant silencieux, il reprit :

— J'ai fait autre chose et, pour cela, j'ai encouru l'hostilité de personnages considérables et risqué mon honneur même : j'ai fait en sorte d'être capturé alors que j'avais sur moi des secrets militaires. Les documents qui sont sur cette table, général, vous les avez lus ? Il n'y a pas une unité japonaise dans un rayon de deux cents milles autour de Ghuru Nor. Vous avez ce soir une occasion qui ne se représentera jamais et c'est moi qui vous l'ai offerte. Cela, parce que je tiens qu'il est pour nous capital d'être fixés une bonne fois sur les intentions russes. Cette responsabilité, je l'ai prise seul. Je me demande ce qui se passera quand vous aurez pris connaissance du message. Je vais vous dire ce qu'il contient.

Le capitaine Hamby fronça le sourcil. M. Moto poursuivit :

— Après-demain, plusieurs incidents surviendront dans la région de Peiping, qui amèneront le Japon à exiger le contrôle de cinq provinces chinoises. Je crois que, si la Russie doit réagir un jour, elle n'attendra pas plus longtemps.

M. Moto se frotta les mains et ajouta :

— J'estime que nous pourrons être fixés dès ce soir. La chose intéressera vivement le prince, ainsi que ce bon M. Holtz, sur qui j'en sais bien plus qu'il n'imagine. M. Holtz a beaucoup travaillé pour la Russie, mais ses intérêts commerciaux sont si variés qu'il ne lui est possible de rien négliger. Il possède, dans la pièce voisine de celle-ci, un émetteur radiophonique sur ondes courtes...

M. Holtz émit un petit grognement. M. Moto sourit.

— N'allez pas vous alarmer, monsieur Holtz ! Notre service de contre-espionnage est fort bien organisé. M. Holtz enverra un message et recevra la réponse quelques instants après. Le général Shirov pourra l'entendre. M. Holtz sera alors en mesure de nous dire si, oui ou non, un mouvement de troupes est prévu sur Ghuru Nor. Il a besoin d'être fixé là-dessus pour savoir où est son intérêt et ce qu'il doit décider. Cela nous intéresse tous. Cette réponse, monsieur Holtz, vous pouvez bien la recevoir ?

M. Holtz répondit avec embarras :

— Oui... puisque vous en savez tant ! Si les troupes bougent, des ordres doivent être transmis

ici immédiatement. C'est... convenu depuis longtemps.

— Je m'en doutais, dit M. Moto. Tout va donc
parfaitement bien. Nous aurons le renseignement
bientôt, le prince se sentira plus à l'aise, M. Holtz
également, puisque tous deux sauront enfin de quel
côté ils doivent se ranger. Si les troupes russes
bougent, je serai heureux de mettre fin à mes jours.
Il en ira autrement si aucun mouvement n'est envi-
sagé et, dans ce cas, j'ai bien peur que ce ne soit
le général Shirov qui se trouve dans l'obligation de
se suicider. Oui, j'ai l'impression que la situation
est maintenant assez claire. Tout s'arrange le mieux
du monde !

Son regard s'arrêta sur Calvin Gates.

— Ne prenez pas cet air soucieux, monsieur
Gates ! Personnellement, je ne crois pas que la
Russie ait l'intention de bouger et je m'en réjouis
pour vous. J'espère m'être bien fait comprendre de
tout le monde et je vous remercie tous de m'avoir
permis de parler si longuement.

Hamby fredonna quelques mesures de sa sempi-
ternelle chanson, puis dit :

— Vous êtes rudement fort, hein, Moto ? Rudement fort !

— Merci, capitaine, merci !

M. Moto, c'était incontestable, s'était expliqué
avec netteté. Les autres considéraient-ils qu'il avait
dit la vérité ? Calvin Gates l'ignorait, mais, pour lui,
il n'y avait pas l'ombre d'un doute. Les actes et les
propos de M. Moto lui devenaient tous intelligibles.
Le petit Japonais avait suivi à la lettre un plan
mûrement raisonné et les événements s'étaient déve-
loppés tels qu'il les avait voulus.

— Si M. Holtz s'occupait maintenant de la radio ?
suggéra M. Moto.

— Ma parole ! s'écria Hamby, ça devient drôle !
Allez-y, Holtz, puisque ça a l'air de l'amuser !

Le gros Allemand quitta la pièce. Par la porte qu'il ouvrit pour sortir, Calvin Gates entrevit un poste émetteur posé sur une table. Le général Shirov s'était levé. Il allait vers Hamby et Calvin Gates eut l'impression que ses genoux se dérobaient sous lui. Il devinait ce qui allait venir.

— Hamby, dit le Russe, donnez-moi cet étui à cigarettes ! Il nous prouvera si, oui ou non, M. Moto a dit la vérité.

Le prince intervint.

— Une minute, s'il vous plaît ! Cet étui, combien me le payez-vous ?

Pour la première fois de la soirée, le général se permit un franc sourire.

— Nous parlerons de ça plus tard ! répondit-il. La présence de M. Moto rend les marchandages superflus. Le grain de blé pris entre les meules est mal placé pour protester, Excellence ! Hamby, donnez-moi cet étui ! Vite !

— Ma parole ! s'écria Hamby. En voilà des façons de s'adresser aux gens !

— Vous serez payés quand tout sera terminé ! déclara Shirov. L'étui, s'il vous plaît ! Il faut que nous sachions si tout cela est vrai.

— D'accord ! répliqua Hamby. Mais ce n'est pas sur ce ton-là qu'on me parle. Le voilà, cet étui ! Vous pouvez le regarder.

D'un mouvement brusque, il tendait au général un étui à cigarettes qu'il venait de tirer de sa poche. Le Russe prit l'objet et l'examina longuement. Il ne disait rien, mais il était visible, à l'expression de son visage, qu'il n'était pas satisfait de ce qu'il voyait.

— Il y a quelque chose qui ne va pas ? demanda Hamby.

Shirov répondit d'une voix sourde :

— Que signifie ? Ce n'est pas l'étui.

— Pas l'étui ?

C'était M. Moto qui avait parlé. Il était blême.
Le prince, debout, interpellait Hamby en mongol.
Presque aussitôt, le capitaine courait vers la porte.

— Je reviens à l'instant ! cria-t-il avant de sortir.

M. Moto hocha la tête.

— J'imagine, dit-il, qu'il va chercher la jeune
dame. Je ne pense pas qu'elle ait l'étui. Pour moi,
il est dans cette pièce.

— Dans cette pièce ? répéta Shirov.

— Ne vous énervez pas, je vous prie ! répondit
le Japonais. Croyez-moi, je suis aussi anxieux que
vous de le voir.

Tourné vers Calvin Gates, il ajouta :

— Je crois qu'il est entre les mains de ce jeune
homme. Désolé, monsieur Gates !

**21**

La minute qu'il vivait, Calvin Gates l'attendait depuis longtemps, mais, maintenant qu'elle était là, il n'était pas bien sûr d'être capable de se montrer à la hauteur des circonstances. Ces hommes jouaient une partie désespérée et, manquant d'expérience, il n'était à côté d'eux qu'un petit garçon. Il les regarda. Jamais M. Moto n'avait témoigné devant lui d'une telle agitation. Le prince et le général ne cherchaient pas à dissimuler leurs sentiments. Ils étaient tout ensemble indignés, surpris et méfiants. Le prince cria quelque chose dans une sorte d'aboiement. Un garde marcha vers Calvin.

— Ce n'est pas lui qui l'a ! dit Holtz. Pour moi, c'est cet Hamby !

La main du garde s'abattit sur l'épaule de Calvin, qui protesta :

— Lâchez-moi ! Cet étui, je ne l'ai pas, mais je sais où il est !

Le bruit même de sa voix lui avait rendu de l'assurance. Le silence s'était fait quand il avait parlé et il eut immédiatement le sentiment qu'il était maître de la situation. Il se tut pourtant, soucieux de ne pas tout gâcher par trop de hâte.

— Vous savez où il est ? demanda le général Shirov.

Le prince vint se camper devant Calvin. Avec ses lourdes bottes, sa robe bleue, sa natte et sa coiffure pointue, il avait l'air d'un de ces « seigneurs de la guerre » qu'on voit représentés sur les vieilles tapisseries mongoles.

— Dans ce cas, dit-il de sa voix lente et aigre, vous allez parler tout de suite !

Son regard sombre menaçait. Calvin fit un effort pour sourire et répondit :

— Combien me donnerez-vous, Excellence ?

M. Moto ne laissa pas au prince le temps de répondre.

— Un instant ! dit-il. Je voudrais dire un mot à M. Gates. Vous n'obtiendrez rien de lui par la contrainte, j'en ai peur. Il est terriblement entêté, mais je suis persuadé qu'il se montrera raisonnable quand je lui aurai expliqué la situation. Monsieur Gates, ce n'est pas le moment de poser des exigences. Vous êtes en danger, vous devez le comprendre. Le prince est très fâché et le général Shirov également. Vous ne vous en rendez peut-être pas compte, mais cet étui à cigarettes a une importance considérable et sa perte retarderait bien des choses. Aussi longtemps que le général Shirov ne l'aura pas vu, comment pourrait-il savoir si je lui ai dit ou non la vérité ? Et comment le prince pourrait-il comprendre quelle est actuellement sa propre situation ? Vous vous imaginez peut-être que vous avez intérêt à gagner du temps. Il n'en est rien, je m'excuse de vous le signaler. Si nous ne retrouvons pas cet objet très rapidement, je crains fort, monsieur Gates, que vous n'ayez à vous en repentir. Je suis convaincu que vous serez raisonnable. J'ajoute que je parle en toute franchise et qu'il n'y a rien de subtil dans ce que je dis.

Calvin, au contact de M. Moto, avait appris l'art de la discussion.

— Il n'y a qu'un malheur, monsieur Moto, répondit-il. C'est que votre point de vue n'est pas le mien. Les rapports russo-japonais me laissent froid et deux choses seulement me préoccupent : ma liberté et ma peau.

— C'est tout à fait logique, déclara M. Moto avec bonne grâce. Toutefois, considérez que, si vous vous obstinez, on vous forcera à parler et que ce sera pour vous très désagréable. Je crois qu'on nous amène miss Dillaway. Vous verrez qu'elle sera de mon avis.

La porte s'était ouverte sous une brusque poussée et miss Dillaway, tenue d'une main ferme par le capitaine Hamby, faisait dans la pièce une entrée précipitée.

— Inutile de discuter ! disait Hamby. Vous ne tenez pas à voir Gates descendu, n'est-ce pas ?

— Mais puisque je vous dis que je ne sais pas de quoi vous voulez parler !

A côté de Hamby, miss Dillaway paraissait toute petite et toute frêle, mais, si elle avait peur, elle n'en laissait rien voir. Elle tenait la tête haute et défiait Hamby du regard.

— Allons ! allons ! Ne dites pas d'inepties !

Hamby secouait la jeune femme avec une certaine vigueur. Calvin Gates ne réfléchit pas. Avant d'avoir pu se rendre compte de ce qu'il faisait, il était allé à Hamby et, empoignant son bras à deux mains, l'avait obligé à lâcher miss Dillaway. Surpris, le capitaine recula d'un pas et porta la main à sa poche.

— Je ne ferais pas ça ! dit Calvin Gates. L'étui à cigarettes, Hamby, je sais où il est !

Calvin pensait que quelque garde allait lui sauter dessus. Rien ne se produisant, il reprit :

— Laissez miss Dillaway tranquille ! Elle ne se sauvera pas. Vous voulez tous savoir où se trouve cet étui ? Eh bien ! je vais vous le dire. Miss Dillaway a donné au capitaine Hamby un étui qui lui appartenait à elle et, l'autre, c'est à moi qu'elle l'a remis, pas plus tard que tout à l'heure, dans cette espèce de grange où nous étions enfermés. Vous voulez savoir ce que j'en ai fait ? Ça vous intéresserait, monsieur Moto ? Et vous, général ?

Il était revenu au centre de la pièce. Tous l'écoutaient avec la plus grande attention, mais il n'aurait su dire encore si sa manœuvre réussirait ou non. Il poursuivit :

— J'ai soigneusement étudié la petite scène qui était représentée sur l'étui. J'ai enregistré tous les détails dans un coin de ma mémoire et, cette scène, si vous me donnez un morceau de papier et un crayon, je vous la dessinerai. Vous voyez ce que je veux dire ? Vous me comprenez, général ?

Le Russe restait muet. M. Moto, d'esprit plus vif, avait déjà saisi.

— Vous êtes un garçon très remarquable, monsieur Gates ! s'écria-t-il. Vous avez détruit l'étui, bien entendu ?

— Exactement, répondit Calvin Gates. Vous en retrouverez les débris dans le magasin et vous serez incapable de leur faire dire quoi que ce soit. Mais j'ai la scène en tête et je serai heureux de la reproduire sur le papier. Je le ferai dès que nous serons d'accord. Je veux votre parole, monsieur Moto, et celle du général Shirov. Vous vous engagerez l'un et l'autre à ce que l'un de vous veille à ce que miss Dillaway, le docteur Gilbreth et moi-même, nous puissions partir d'ici librement et vous nous promettrez de ne plus vous occuper de nous à l'avenir.

Un long silence suivit, rompu par le rire bruyant du capitaine Hamby.

— Ainsi, dit-il, c'est là votre idée ? Vous voulez bien faire l'artiste, mais sous certaines conditions !

Se tournant vers le général et vers M. Moto, il ajouta :

— Cette proposition, messieurs, vous n'avez même pas à l'examiner ! Confiez-moi M. Gates

pendant un petit quart d'heure et il nous suppliera
à genoux de lui laisser faire son petit dessin !

— J'ai pensé à ça ! dit Gates. L'ennui, c'est que
vous ne pourriez pas m'obliger à faire le dessin
exact.

Le général Shirov, qui réfléchissait depuis un
moment, leva la tête.

— Mon cher monsieur, déclara-t-il, vous nous
demandez beaucoup. Qui nous prouvera que votre
dessin reproduira fidèlement la scène qui était sur
l'étui ?

Calvin eut un haussement d'épaules. Cette preuve,
il était impossible de la faire.

— Il faut, répondit-il, que vous vous en remet-
tiez à ma parole comme je m'en remets, moi, à la
vôtre. C'est un risque, mais nous ne pouvons pas
l'éviter. Je vous ferai seulement observer que je
n'ai aucun intérêt à vous tromper et que, si j'essaie
de le faire, vous vous en apercevrez tout de suite
en regardant mon dessin. Je ne suis en Orient que
depuis quelques jours. Si vous voyez un autre
système, employez-le, mais, croyez-moi, il ne
vaudra pas celui que je vous propose.

— Laissez-moi le type cinq minutes...

Le général imposa silence à Hamby.

— Il suffit, capitaine ! Nous n'avons plus le temps
de commettre de nouvelles erreurs. Cette affaire
s'arrangera sans qu'il soit recouru à la force. Vous
avez un passeport, monsieur Gates ? J'aimerais voir
les visas...

— Dire que je n'ai pas pensé à ça ! s'écria l'Américain.

Le général feuilleta le passeport de Calvin et le
lui rendit. Son regard s'était adouci.

— Votre proposition, conclut-il, me semble excellente. Lorsque, tout à l'heure, vous m'avez raconté
votre histoire, je pensais que vous étiez un agent au
service d'une certaine puissance. Je crois mainte-

nant que je me trompais. Ce passeport est peut-être
faux, mais cela m'étonnerait. J'accepte votre proposition. Je suis flatté que vous fassiez confiance à
ma parole et heureux de vous la donner. Je suis un
tout autre homme que certains de ceux qui se trouvent dans cette pièce.

— Je l'avais compris, répondit Gates. Vous êtes
d'avis que tout doit se passer en dehors de ces
autres personnes ?

— Nous arrangerons cela facilement, déclara le
Russe. Je regrette, monsieur Gates, que le temps
nous presse tellement et j'espère que nous ferons
plus ample connaissance par la suite. Voudriez-vous
vous asseoir à cette table ? Voici un crayon, du
papier. Puis-je prier la dame, puisqu'elle a vu, elle
aussi, l'étui à cigarettes, de bien vouloir approcher ?

M. Moto toussota et dit :

— Vous avez été très raisonnable, monsieur
Gates. Je suis heureux que vous ayez compris que
nous sommes, le général Shirov et moi, les deux
seules personnes qui comptent dans cette pièce. Le
général est un homme délicieux. Vous avez sa parole
et vous avez la mienne. Soyez tranquille, ces messieurs n'interviendront pas. Ils en auront sans doute
envie, mais ils n'oseront pas.

Il regarda le général Shirov, poussa un petit
soupir et poursuivit :

— Oui, le général est un homme délicieux. C'est
un gentleman. Nous vous avons donné notre parole
et nous la tiendrons. Je suis navré que, le général
et moi, nous soyons en conflit, navré que nous ne
puissions bavarder longuement ensemble. Nous
aurions tant de choses intéressantes à nous dire !

Un sourire discret glissa sur les lèvres de Shirov.

— Ce ne sont pas les sujets de conversation qui
nous manqueraient ! murmura-t-il.

— Il ne reste plus qu'un détail à régler, dit Calvin.

— Lequel ? demanda M. Moto, surpris.

— Il s'agit de la mission Gilbreth, répondit Calvin. Il faut qu'elle soit remise en liberté.

M. Moto sourit et se tourna vers le prince.

— Elle a des ennuis ? Voilà qui ressemble bien à Son Excellence ! Vous aurez satisfaction sur ce point-là aussi, monsieur Gates !

— Est-ce que je dois comprendre que je ne recevrai rien de personne ? demanda soudain le prince.

— J'en ai bien peur, déclara doucement M. Moto. Vous auriez dû traiter quand on vous faisait une offre. Nous reparlerons de cela plus tard.

Du geste, le prince montrait Hamby.

— J'ai suivi les conseils de cet homme !

— C'est bien dommage pour lui ! dit M. Moto. Il a conduit les choses trop loin. J'ai bien peur qu'il n'ait eu tort de m'amener ici.

Calvin Gates était maintenant assis devant la table, miss Dillaway et le général Shirov à côté de lui. M. Moto vint auprès d'eux et reprit :

— N'ayez aucune crainte, monsieur Gates ! Quelqu'un aura ici la situation en main. Ce sera le général ou ce sera moi, mais, de toute façon, le prince, M. Holtz et M. Hamby obéiront. C'est très amusant et je regrette seulement que le général Shirov soit un ennemi de mon pays... et un homme si dangereux !

— Je le regrette pour vous, monsieur Moto ! dit le Russe.

Calvin commençait à dessiner. Au bout d'un instant, miss Dillaway, qui le regardait faire, n'y tint plus.

— Donnez-moi ce crayon, Gates ! Je sais dessi-

ner et vous ne savez pas ! Il y avait des petits oiseaux
sur le sol. Dites-moi où il faut les mettre !

Prenant sa place, elle ajouta :

— Il ne peut pas tout faire, vous savez !

## 22

Calvin Gates, les yeux clos, rappelait ses souvenirs.

— Il y avait cinq touffes de gazon, toutes assez hautes. Surtout celle du centre, qui était un peu plus large que les autres. Tous les brins d'herbe penchaient à gauche, comme inclinés par le vent...

— Comme ça ? demanda miss Dillaway.

— Cinq touffes, les brins vers la gauche ? dit le général. C'est exact, sans aucun doute. Les oiseaux, maintenant ! Etaient-ils gros ou petits, monsieur Gates ?

— Petits. Ils n'avaient pas l'air d'avoir de queue et ils avaient le bec long, comme des bécasses. Il y en avait trois, volant en groupe, tout à fait sur la droite. Il y en avait un sur le sol, très à gauche, et deux autres posés sur une touffe de gazon, au centre.

— Comme ça ?

Calvin examina le dessin avec soin.

— Non, dit-il enfin. Les oiseaux qui volaient étaient tournés vers la droite et il y en avait un qui était nettement devant les deux autres.

Le général Shirov prit le papier en main et le regarda longuement, les lèvres serrées, sans prononcer un mot.

— Monsieur Holtz, demanda-t-il ensuite, la radio est prête ?

— Elle est prête.

— Une minute. s'il vous plaît ! dit M. Moto. Je

suis ravi de m'en remettre à M. Holtz. Nous serons tout de suite fixés. Pourtant, comment saurons-nous si, oui ou non, une action est envisagée ?

M. Holtz fit la moue avant de répondre.

— Je demanderai des instructions. Soyez tranquille ! Le général sait ce que je veux dire.

M. Moto se frottait les mains. Il reprit :

— C'est un plaisir, monsieur Holtz, que de s'en rapporter à vous, qui nous offrez si gentiment l'hospitalité. M. Holtz est un homme d'affaires averti et M. Holtz, dont les intérêts sont multiples, sait qu'il doit être du côté du plus fort.

— Très juste ! déclara cyniquement l'Allemand. Je vous dirai quelles sont leurs intentions.

— Parfait ! Parfait ! répondit M. Moto. Prévenez-nous quand la réponse vous sera annoncée ! Je suis désolé, général, que l'un de nous doive s'en aller. Vous me comprenez, j'en suis sûr. Si les troupes russes ne bougent pas, j'ai bien peur que personne ici ne sache que faire de vous. Le prince est si intelligent ! Il sera Russe ou Japonais selon l'événement et se débarrassera de celui de nous deux qui le gênera. Je ne me trompe pas, Excellence ?

— Non, dit le prince. D'ici là, vous êtes mes hôtes, l'un et l'autre.

Shirov eut un geste d'impatience.

— Assez parlé ! Tout le monde a compris. Ils attendent le message.

Suivi de Holtz, il s'éloigna vers la petite pièce où se trouvait le poste de radio.

— Le général Shirov est sûr de lui, fit remarquer M. Moto. Trop sûr, j'en ai peur. Il serait peut-être sage de le surveiller discrètement. Il sera si déçu si la réponse n'est pas ce qu'il espère, qu'on peut redouter... un geste malheureux.

Sans mot dire, le prince fit un signe au capitaine Hamby, qui se dirigea vers la petite pièce.

— Ma parole ! grommela-t-il. Vous n'oubliez rien !

Par la porte entre-bâillée, Calvin Gates apercevait de dos M. Holtz, penché sur l'appareil.

M. Moto, crayon aux doigts, une feuille blanche devant lui, écoutait.

— Ils appellent la station, dit-il.

L'émetteur, manié d'une main experte, envoyait dans l'espace des « points » et des « traits » qu'on entendait cliqueter dans le silence. Miss Dillaway toucha le bras de Calvin.

— Que font-ils ? murmura-t-elle. Qu'est-ce qui se passe ?

— Nous ne sommes plus dans le coup, Dillaway ! répondit Calvin. Alors, qu'est-ce que ça peut nous faire ?

— Ne faites donc pas tant de mystères ! répliqua-t-elle. Ça m'intéresse. Il faut reconnaître que c'est plus amusant que d'être bouclée dans une grange avec le docteur Gilbreth.

— Puisque ça vous intéresse, dit Calvin, je vais vous expliquer ! Le Japon et la Russie vont ou ne vont pas entrer en guerre. Le citoyen en robe bleue que vous voyez là-bas est un prince qui attend un certain renseignement pour savoir s'il doit être l'allié des Russes ou celui des Japonais. Le type qui est dans la petite pièce, celui qui passe un message en ce moment, c'est un nommé Holtz, le propriétaire de la maison où nous sommes. C'est un négociant qui envoie des caravanes de chameaux dans le désert. L'homme qui est à côté de lui est un grand espion russe, qui ne s'entend pas très bien avec M. Moto. Suivant ce que sera la réponse au message, votre ami le capitaine Hamby et le prince feront prisonnier soit le Russe, soit M. Moto, et le personnage disparaîtra définitivement de la scène. Voilà, en gros, de quoi il s'agit. Si ça vous intéresse, libre à vous ! Moi, je me fiche éperdument de ce qui va arriver !

— Mais qu'est-ce qui vous prend, Gates ? Je croyais que ces histoires-là vous passionnaient ?

— Autrefois, peut-être. Aujourd'hui, elles me fatiguent.

— Et j'imagine que moi aussi, je vous fatigue ? Il protesta avec fermeté.

— Non, Dillaway, ne croyez pas ça ! Vous, vous m'intéressez énormément !

— Je suis contente de ce que vous me dites, déclara-t-elle. Parce que, des aventures de ce genre-là, vous n'en verrez plus à l'avenir si j'ai voix au chapitre. Il vous arrive d'être intéressant, je veux bien, mais vous ne m'attirerez pas deux fois dans un bain comme celui-ci !

— Mais, dites donc Dillaway, c'est vous qui avez tout mis en train ! Cet étui à cigarettes, ce n'est pas à moi qu'on l'a donné, c'est à vous !

Elle leva les yeux vers lui et lui sourit.

— Ne vous fâchez pas, Gates ! L'ennui avec vous, c'est que vous ne pouvez pas penser et discuter en même temps. Ça ne fait rien, vous me plaisez comme ça ! Vous pourriez être pire.

— Vous aussi !

— Je présume que vous manquez d'ordre et que, chez vous, vos affaires traînent dans tous les coins ?

— C'est exact.

— J'en étais sûre. Naturellement, vous...

Quelques mots de M. Moto rappelèrent miss Dillaway et son compagnon aux réalités du moment.

— Voudriez-vous bien ne plus parler ? dit doucement le petit Japonais. Il est très intéressant de savoir que M. Gates n'a pas d'ordre, mais on est en train d'envoyer le message et j'aimerais bien l'entendre.

## 23

Un silence total était tombé sur la pièce, troublé seulement par le crépitement des « traits » et des « points » qui se succédaient sur un rythme rapide. Calvin écoutait, la main droite sur l'épaule de miss Dillaway. Il songeait qu'il avait une quantité de choses à lui dire et que, ces choses, il ne les garderait pas longtemps pour lui seul. Ils s'entendraient bien, tous les deux, il en était sûr. Ils ne se connaissaient pas depuis longtemps, mais ils n'ignoraient rien l'un de l'autre, ayant vécu ensemble une aventure qu'ils avaient peu de chances d'oublier jamais.

M. Moto, qui avait jeté quelques notes sur une feuille de papier, dit à mi-voix :

— Votre dessin était exact, monsieur Gates. Il en disait d'ailleurs plus long que je ne supposais. Le message a été passé en code. Shirov a fait savoir que tout allait bien.

— Vous connaissez le code dont il se sert ? demanda Calvin.

— Un peu, répondit M. Moto. Assez pour comprendre, je crois. Mais il y a dans la transmission même un secret que nous n'avons pu percer encore et qui nous a empêchés jusqu'à présent d'envoyer nous-même les faux messages qui nous auraient été si utiles.

M. Holtz revenait dans la pièce.

— Le message est parti, annonça-t-il, tout en épongeant son front moite avec son vaste mouchoir bleu. Nous avons précisé que nous attendions la réponse et nous devrions l'avoir bientôt. Vous vous sentez bien, monsieur Moto ?

M. Moto soupira.

— Parfaitement heureux, monsieur Holtz, parfaitement ! J'ai le sentiment d'avoir fait mon devoir. Dans quelques instants, nous saurons à quoi nous en tenir sur les intentions russes et c'est quelque chose, cela, monsieur Holtz. Je tiens à vous remercier de votre précieuse collaboration.

M. Holtz ne cachait pas son admiration.

— Vous êtes d'un calme étonnant, monsieur Moto !

— Il y a des circonstances où il faut savoir demeurer maître de soi, répondit M. Moto. C'est facile quand on estime qu'il est des causes qui valent que l'on meure pour elles. J'ai eu tant de peine à arranger la petite réunion de ce soir !

Miss Dillaway se pencha vers Calvin Gates.

— De la mort de qui est-il question ?

— Je vous le dirai plus tard, dit l'Américain. Je suis fatigué de vouloir être un héros, Dillaway ! Même si je le voulais, je ne pourrais faire concurrence à M. Moto.

Le Japonais découvrit ses dents d'or dans un aimable sourire.

— Vous êtes trop indulgent, monsieur Gates ! Je me contente de faire mon métier, c'est tout. Je regrette seulement que nous ayons dû ennuyer miss Dillaway à l'occasion de cette banale affaire. Vous n'auriez pas une cigarette, monsieur Holtz ?

M. Holtz lui passa sa boîte et, lorsqu'il se fut servi, lui offrit du feu, disant :

— Oui, Moto, vous êtes parfaitement calme ! A votre place, je le serais moins. Je connais les Russes, voyez-vous !

— Et puis, vous êtes tellement intelligent, monsieur Holtz ! Merci beaucoup.

Hamby passa la tête par la porte de la petite pièce.

— Holtz ! Revenez ! Ils appellent !

M. Moto secoua la cendre de sa cigarette.

— La réponse aura été plus rapide encore que je ne pensais ! dit-il.

Tourné vers le prince, qui de son fauteuil le regardait, il poursuivit :

— Je devine ce que vous êtes en train de vous dire, mon cher prince, et j'imagine votre ennui. Que cette réponse vienne si vite, c'est assez désagréable pour moi ! Cela semble indiquer que le message était attendu et que tout est prêt. C'est fâcheux, évidemment. Je suis très heureux, monsieur Gates, des arrangements que vous avez pu prendre. Vous pouvez faire confiance au général Shirov. Je suis désolé d'infliger ce malséant épilogue à miss Dillaway.

Il griffonna quelques mots sur une feuille de papier et, la pliant en quatre, reprit :

— Puis-je, monsieur Gates, vous demander un service ? J'ai peur que les choses ne tournent très mal et j'espère que vous quitterez la Chine le plus vite possible. Quand vous serez à Tokio, voulez-vous rendre visite au gentleman dont voici l'adresse ? C'est un homme charmant et d'une rare distinction, qui vous présentera à un personnage encore plus distingué, auquel je vous serais reconnaissant de bien vouloir dire que j'ai arrangé l'affaire, en dépit de grosses difficultés. Il comprendra. Vous lui direz combien j'ai été heureux d'avoir pu être de quelque utilité.

Calvin, prenant la feuille de papier, répondit :

— Je ne vois pas ce que vous voulez dire.

— Vous le verrez sans doute dans un instant, reprit M. Moto. Il est regrettable que cette réponse arrive si vite. Cela signifie, je le crains, que les Russes saisissent l'occasion. Le plan était de la leur offrir. Ils la prennent, j'en ai peur, et nous sommes désormais, comme nous le souhaitions, fixés sur leur attitude et leurs intentions. Leur mouvement, c'est probable, est déjà commencé...

Il y eut du bruit dans la petite pièce. Les têtes se tournèrent vers la porte. Calvin aperçut Hamby, debout près de la table, immobile et attentif. Un coup de feu claqua. Le capitaine haussa les épaules et tourna les talons.

— Sourions, les gars, sourions, c'est la consigne ! dit-il passant dans le *living-room*. Et hourrah pour le Japon !

M. Moto s'était levé. Calvin Gates, soutenant miss Dillaway de son bras, se pencha vers elle. Il était bouleversé, mais ne voulait pas le lui laisser voir.

— N'ayez pas peur, Dillaway ! Tout ça n'a aucune importance pour nous !

— Je n'ai pas peur.

Elle tremblait. M. Holtz, son mouchoir à la main, sortit de la petite pièce. Ses bajoues étaient livides.

— Shirov s'est tué ! dit-il.

— Non ? demanda M. Moto.

M. Holtz enfonça son mouchoir dans la poche de son pantalon.

— Comme je vous le dis ! reprit-il. Qu'on ne vienne plus me parler des Russes ! Avec eux, c'est difficultés, empoisonnements et compagnie ! Le Guépéou a arrêté le chef de Shirov et deux généraux. Et, comme ordre, vous savez ce que nous

recevons ? *Il ne doit y avoir aucun incident suscep-*
*tible d'être considéré par le Japon comme une provo-*
*cation !* Les Russes restent où ils sont et ils ne
bougent pas.

M. Moto se promenait deux doigts sur les lèvres.

— Très intéressant, dit-il, très intéressant ! Vous
me donnerez le texte exact, je vous prie. C'est si
important ! Il est bien dommage que le général
Shirov ait cru devoir se tuer, encore que je ne voie
pas ce qu'il aurait pu faire d'autre. C'était un
homme dangereux, mais tellement aimable ! Il se
donnait tant de peine !

Après un petit silence, il poursuivit :

— Tout le monde, d'ailleurs, se donne beaucoup
de peine. C'est ce que je fais, c'est ce que fait
M. Holtz et ce que faisait le pauvre major Ahara,
qui prit à différentes reprises tant de mal pour me
faire assassiner. Je suis bien heureux que tout se
termine le mieux du monde.

Il fit une brusque volte-face pour s'incliner cérémonieusement devant le prince, puis dit lentement :

— Nous serons ravis, mon cher prince, de signer
avec vous un traité aux termes duquel, en échange
d'avantages financiers, vous permettrez aux troupes
japonaises de s'installer à Ghuru Nor pour vous
aider à défendre éventuellement votre territoire. Il
nous sera très agréable, Excellence, de collaborer
avec vous.

— J'espère, déclara M. Holtz d'une voix forte,
qu'on m'accordera quelques privilèges commerciaux.

M. Moto, souriant, se tourna vers lui pour lui
répondre de sa voix la plus aimable :

— Notre mission commerciale, monsieur Holtz,
se fera une joie de collaborer avec vous. Vous serez
si heureux, j'imagine, de ne vous occuper exclusi-

vement que de produits japonais ! Que demandons-nous à la Chine ? Sa collaboration sur le plan économique et une cordiale compréhension, rien d'autre !

Hamby fit une sorte de grimace qui prétendait être un sourire.

— Ma parole ! s'écria-t-il, c'est ce que nous voulons tous ! Une cordiale compréhension !

M. Moto regarda le capitaine Hamby. Le petit Japonais ne souriait plus.

— Un instant ! dit-il. J'aimerais parler au prince en particulier. J'en ai pour une seconde !

Il alla murmurer quelques mots à l'oreille du prince qui, toujours assis dans son fauteuil, l'écouta en plissant le front. Quand M. Moto eut terminé, le prince toucha le bras du garde qui se tenait auprès de lui et lui dit quelque chose à mi-voix.

— Qu'est-ce que c'est que tous ces secrets ? demanda Hamby, affectant de plaisanter. On est tous copains, non ?

Son ton, brusquement, changea.

— Mais qu'est-ce que ça signifie ? Vous êtes fous ?

Deux gardes s'étaient avancés vers lui et deux fusils étaient braqués sur sa poitrine. Le prince donna un ordre bref : les hommes s'apprêtèrent à tirer. Hamby, comprenant l'inutilité du geste, n'essayait même pas de prendre l'arme qu'il avait dans la poche de son veston.

M. Moto fit un pas vers les gardes.

— Je vous en prie, dit-il, pas ici, par égard pour la dame ! Ayez la bonté de conduire le capitaine dans la cour ! Je suis désolé, capitaine, mais vous avez tué un officier de l'armée japonaise. Le major Ahara était un homme charmant. N'ayez pas peur, miss Dillaway ! Offrez donc un fauteuil à miss Dillaway, monsieur Gates ! Vous ne croyez pas qu'il serait fort gentil maintenant de prendre une tasse de thé ? Le prince et M. Holtz, j'imagine, se feront un plaisir de se joindre à nous. Je suis très fatigué, mais la vie est une si belle chose !

## FIN

Achevé d'imprimer le 16 janvier 1987
sur les presses de l'Imprimerie «La Source d'Or»
63200 Marsat
Dépôt légal 1er trimestre 1987
Imprimeur N° 2193